黑面琵鷺的鄉愁 續篇

～為永續台灣打拼的故事～

謝志誠　蘇煥智◎著

目錄

黑面琵鷺的鄉愁 【續篇】

目錄

~為永續台灣打拼的故事~

目錄

攝影／王徵吉

作者序一

幾年來，講到七股，很多人會馬上想到「黑面琵鷺」。因為，這種嘴巴扁扁長長，兩隻腳細細長長，嘴像琵琶，腳像白鷺鷥的國際著名稀有鳥類，每年冬天總要千里迢迢地飛來台灣七股曾文溪口過冬，第二年春天再飛回去；除了名聲響噹噹的黑面琵鷺外，近來常在媒體曝光的還有七股鹽山。到過七股玩的人，總會搭上竹筏或膠筏改造而成的遊艇，橫渡七股潟湖，穿越養殖牡蠣的蚵篷，登陸到沙洲上去看看鷺鷥的鳥穴，看看滿地亂跑的和尚蟹，然後回到岸邊，品嚐新鮮的海產！

黑面琵鷺南來北返，七股鹽場堆積如山的鹽山、內海仔、蚵篷、和尚蟹、膠筏……伴隨著七股沿海的漁民，年復一年；但這些過去被認為習以為常的事與物，在生態旅遊的熱潮下已經開始被賦予不同的意義，特別在「雲嘉南濱海國家風景區」成立，政府大量資源投入後，由這些事與物所搭建起來的場景將會越來越豐富。

在看得到的景象背後，發生在這裡的反對濱南工業區開發計畫的環保運動，卻逐漸被淡忘。

1993年起，有兩個財團計畫到七股開發濱南工業區，興建煉油廠、石化廠、大煉鋼廠與工業港，讓這個原本沒沒無名的漁鄉，從此登上環境保護與經濟發展爭議的舞台……

到目前為止，這場爭議已經超過12年。雖然開發計畫的環境影響評估已在1999年12月17日環保署環境影響評估審查委員會第六十六次會議決

議有條件通過，但《濱南工業區開發計畫環境影響評估報告書》審查結論卻因環評委員與學者專家的質疑，一直拖到2006年1月19日才由環保署予以公告。

也許是大家都講到不想再講的關係吧，也許有人認為一切都已經不了了之了，包括我在內的許多曾經並肩打拼過的朋友，見了面也很少再談起這檔曾經發生在七股的故事；但，也許是年紀漸長的關係吧，我開始去想，如果不趕快把故事的來龍去脈整理記錄下來，再過個十年，這場「愛鄉土‧反七輕」的抗爭史就會像打散的拼圖片，再也沒有人可以得知它的全貌。

2005年年初，我開始著手整理資料，決定以當年與蘇煥智合著的《黑面琵鷺的鄉愁》為基礎，把故事的全貌拼起來。這本書在2005年8月就已大抵完成，但對於如何為這個還沒結束的故事定調，實在很頭痛！加上不久之後又有縣長選舉，因此，給了自己一個暫時迴避的理由：等年底選後再定調。等到縣長選舉結果揭曉後，當時的衝勁卻又不見了，一直到年初回鄉過年，跑了一趟龍山探望重病中的家旺伯，看著他戴著呼吸器，有氣無力地問我報紙報導環保署公告濱南案環評報告書到底是怎麼一回事？跟他一樣，我也是事後才從報紙上看到報導的，無奈的我只好安慰他：可能是環保署依法行政吧！已經不錯了，從通過環境影響評估到環評公告，也ㄍ一ㄥ了六年了。他輕輕嘆了口氣，反而安慰我：多謝，大家都已經盡力了。

想到家旺伯，想到當年一起奮鬥的朋友，想到環評報告書定稿本的公告，想到這場不曉得還要打多久的環境保衛戰，我決定先為過去十二年「愛鄉土‧反七輕」的故事畫一個句點！

　　這本書先介紹事件的發生地點，以及它的地理變遷滄桑史，然後再依時序的軸線來切割故事的發展，包括「雀屏中選　粉墨登場1993～1994」、「一階環評　提前暖身1994～1995」、「攻防焦點　轉往台北1995～1996」、「環評挫敗　蹲下再起1996～1997」、「二階環評　準備開戰1996～1997」、「二階環評　輪番上場1998～1999」、「環評過關　原貌重現1999～2000」、「環評定稿　一波多折2000～2006」與「實踐理想　面對挑戰2001～2006」等。也就是說，這本書試圖從七股如何「雀屏中選」、被財團相中談起，介紹濱南工業區開發計畫的形成過程、內容與後續環境影響評估的進行，以及現場、街頭與環評會場間的進進出出、攻防過程與論述，以及環繞故事所在地最近幾年的變遷與發展。

　　這個故事，雖然因為開發計畫環境影響評估的有條件通過，以及環評報告書定稿本的公告而暫告一段落，但故事還沒有結束！先畫個句點，暖身之後還是要再度出發！

謝志誠　謹誌

2006年2月

作者序二

　　《黑面琵鷺的鄉愁》乙書出版迄今已逾八年，沒想到「濱南工業區開發計畫」（東帝士七輕、燁隆大煉鋼廠）的陰影依然存在。今年一月份環保署才剛公告其環評報告，而與我們一齊奮鬥保護七股潟湖的當地「反濱南」漁民領袖「家旺伯」卻在今年三月十一日不幸過世，令人不勝唏噓！雖然我們深信「家旺伯」反七輕保護鄉土的精神不死，但總也鞭策著我們保護鄉土的責任未了！

　　1999年底，連戰、蕭萬長為了競選總統、副總統，在很草率的情形下，通過濱南案環評，當時連濱南工業區的實際位置都無法確定。

　　2001年12月本人當選台南縣長，即向內政部、經濟部、環保署強力表達反對濱南案的立場。我們原先天真地以為可以將本案予以結束。

　　當了縣長後，即開始著手推動「濱海國家風景區」之計畫，並將空懸十幾年的「黑面琵鷺保護區、重要棲息地」等難題加以克服，同時也史無前例地制訂「娛樂漁筏自治條例」，將七股潟湖眾多的娛樂漁筏合法化，目前已有超過31艘。而七股鹽場的鹽山、台灣鹽博物館的觀光人潮也吸引全國注目。一連串對於濱海地區生態觀光的計畫及行銷，目標就是為了推動成立國家風景區。2003年12月，這個目標終於實現。

　　2003年12月24日，一個涵蓋雲、嘉、南四個縣市，北至雲林縣牛挑灣溪（包含外傘頂洲及周邊沙洲），南至台南市塩水溪為界（不包含台南科工區），東至台17線公路為界，西至海岸線向西到海底等深線20公尺處，

總面積約84,049公頃，陸域33,413公頃，海域50,636公頃，正式命名「雲嘉南濱海國家風景區」在台南縣北門鄉北門鹽場正式掛牌成立。這個國家風景區除了有特殊的潟湖、沙洲、自然生態、鹽業文化及台灣最早先民登陸的歷史海岸，並保存台灣最早的各種民間信仰。國家風景區成立後，我們更相信濱南案更加遙遠了，區域發展的方式已經明確指向觀光、生態旅遊。雲嘉南濱海國家風景區成立不到二年，2005年秋天著名的La New公司看中台南縣濱海地區，宣布投資國際級的觀光渡假村，當此一計畫提出時，地方不分黨派，包括過去積極推動濱南案的人士也都大力支持，可見其吸引力。大家都在期望La New的投資案，可以開啟台灣對海洋觀光資源的新思維，對台灣走向海洋發展，具有指標性的建設。然而濱南案對La New渡假村案已構成衝擊。

除了濱海觀光的開展外，本人在就任縣長後，工業的開展也頗有成果。濱南案剛提出時，南科尚未定案，而2001年我剛就任縣長時，南科已發展到每年新台幣五百億的營業額，就業人口約九千人；2005年南科的營業額已達新台幣3,528億，就業人口41,280人，預估2006年將達營業額5,000億，就業人口逾五萬人。同時我們也在南科特定區另開闢「液晶電視專業區」，預計今年底完成，部份廠商下半年即進入量產。同時台南縣正進行開發「大新營工業區暨環保科技園區」，並於永康焚化爐旁開發「永康科技工業區（汽機車零組件專業區）」，這些工業區的開發在在需要用水，可惜，因為濱南案還掛在經濟部及環保署，占用了每天20萬噸的用水量，已經構成用水排擠的效應。濱南案對南科及其他產業已構成資源排擠效應，妨礙了台南地區其他工業的發展。

在反濱南的過程中，除了黑面琵鷺受到國際及大家的重視外，七股潟

湖也是大家關注的主角。潟湖除了有豐富的漁獲資源超越珊瑚礁外，也是生態旅遊的特殊地景，七股潟湖堪稱台灣的「馬爾地夫」，而潟湖與沙洲構成的河口特殊地景，更具有防止暴潮、保護海岸的功能。沙洲也是天然的防波堤，可以將颱風暴潮阻止於海外，避免巨浪直接撲打潟湖內較脆弱的海堤，避免海岸國土流失。同時因沙洲阻擋暴潮的效應，也可提供潟湖作為「海岸水庫」，作為濱海低窪地區於颱風豪大雨時的「滯洪池」功能，此一防洪的功能在台灣鮮少被注意。海岸窪地填海造陸而造成淹水的情形經常被忽視，在雲林縣六輕填海造陸，造成麥寮周邊地區淹水，屢見不鮮。去（2005）年夏天，在台南縣發生了接連三次的大水災，而發生水災的地區都是兩個潟湖區，一個是北門將軍潟湖，其將軍溪、麻豆大排流域，淹了麻豆、學甲、北門、將軍地區；另一個是七股潟湖，其大寮排水、七股溪流域，淹沒七股、佳里地區。兩大潟湖區上游排水流域均浸沒於水中，其原因為何？這是一個鮮少被注意的課題！本人因長期關心濱南案及潟湖的功能，乃發現「兩大潟湖的老化」是關鍵因素！

　何謂「潟湖老化」？因為廣建水庫，沙源被阻於水庫內，沙源不足輸沙減少，再加上六輕填海造陸，西海岸沙源被奪取甚多，所以兩大潟湖、沙洲，日漸變瘦，高度變低，而北風、西北風的風吹沙，更讓潟湖日漸淤積變小、變淺，而海浪襲捲沙洲，更加快沙洲流失，潟湖淤積日漸老化，因而沙洲變小，潟湖逐漸變小、變淺，逐漸陸化，這就是沙洲潟湖老化。經年累月的演變，沙洲將不再具有防止暴潮的功能，而潟湖也不再具有海岸水庫、滯洪池的功能，所以去年三次大水，就是潟湖老了的嚴重警訊！為了治水，本人曾多次勘查潟湖、沙洲，即將成立水利

局，並於水利局下設「海岸保護課」，全力整治，保護沙洲、潟湖。

然而如果濱南工業區設立，將填海造陸4到5公尺，將造成潟湖永久消失，而排水出口正面被堵塞。此一荒謬之計畫，雖經屢次反應，卻被視若無睹，而正式以縣府之公文書向各單位反應，也沒有任何回應。

濱南案，從1993年開始至今已12年，而今全球變遷也很大，從尚未有溫室氣體管制，到京都議定書成立，到去年2005年京都議定書生效；而國內從過去沒有新能源的政策，到成立能源局推動太陽能、風力發電，到生質柴油；而國內這一年多來的股王竟是茂迪及益通等太陽能股，益通股價甚至越過一千元。潮流都已經走到這個地步，而我們還浪費時間在濱南案，真是慚愧！「家旺伯」雖然已經走了，我相信他一定還在天上注意這個案子！眼看著油價逐漸上漲，全球溫室效應與日俱增，暴雨暴潮屢破紀錄，再生能源成為全球熱門課題，而中共也正以快速的步伐崛起，我們浪費的時間也太多了！

我們敬愛的中央執政高層，拜託讓我們的「家旺伯」在天之靈能夠安息吧！請駁回「濱南工業區開發計畫」！

蘇煥智

2006年3月

Prelude 序曲

台 江內海 地理變遷

沿著台南縣的海岸，由北到南，有美麗的王爺港汕、青山港汕、網子寮汕、頂頭額汕與新浮崙汕等離岸沙洲，以及八掌溪、急水溪、將軍溪與曾文溪等四條主要河川的出海口，這些離岸的沙洲可以阻擋入侵的海浪，並與海岸陸地圍成潟湖。沙洲、潟湖與出海口構成了台南縣沿海特殊的地理景觀。

七股鄉，這個位於台南縣西南端的漁鄉，東邊鄰接佳里鎮、西港鄉，西邊緊臨台灣海峽，南隔著曾文溪與台南市安南區相望，北邊則與將軍鄉相鄰，南北長約12公里，東西寬約11公里，是個北狹南稍闊的梯形平

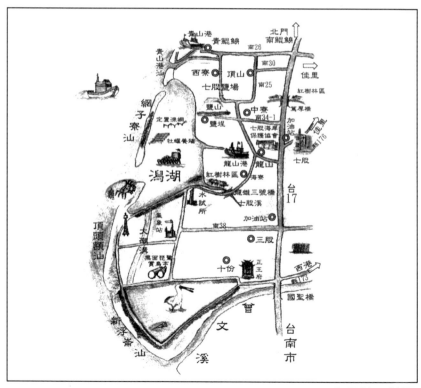

七股地區地圖

臺灣府總圖。

資料來源／盧嘉興（1981）

野，面積約115平方公里，總人口數約爲26,000人，主要產業爲養漁業。

在七股鄉的西側，有一個被青鯤鯓青山港西南航道、七股鹽廠新鹽灘第二工區、七股鹽廠西區鹽區、龍山村、北堤等陸地，與西側青山港汕、網子寮汕、頂頭額汕等離岸沙洲所圍成的水域，面積約有1,455公頃，當地人稱爲「內海仔」，學術上則稱之爲「七股潟湖」。

由於七股潟湖是陸上魚塭與七股海域的緩衝水域，浪流情況較外海穩定，在海水與淡水交互作用下，享有海陸兩域的營養源，是當地漁民非常重要的漁場。

當我們打開古地圖，試著由時間的軌跡回溯這塊土地的發展史時，赫然發現今天的七股鄉大多屬於台江內海陸浮後的新生地，而昔日浩瀚壯闊「可泊千舟」的台江內海，今日僅存的最後遺跡就是七股潟湖了，這裡有著一段滄海桑田的地理變遷史。

昔日台江 可泊千舟

台南縣背山臨海，東高西低，溪流湍急，三百多年前所轄區域是一片叢林荒地，僅有西拉雅（Siraya）、浩安雅（Hoanya）、大武壠社、芒仔芒社等平埔族散居在今日的新化鎮（大目將社）、新市鄉（新港社）、善化鎮（目加溜灣社）、佳里鎮（蕭壠社）、麻豆鎮（麻豆社）、東山鄉（哆咯嘓社）與玉井鄉（大武壠社、芒仔芒社）。

滿清道光以前，沿著現在的將軍鄉山子腳西邊（古歐汪溪出海口）、七股鄉篤加（古卓加港）、西港鄉蚶西港（古含西港）、西港鄉西港（古西

港仔港)、安定鄉管寮(古菅寮港)、安定鄉安定(古直加弄港)、安定鄉港口(灣港口,亦即目加溜灣港的港口)、永康鄉洲仔尾(古洲仔尾)、台南市市區(歷郡城)、台南市南郊鹽埕南邊等地,是當時的內陸海岸線。海岸線外面,從南邊的二層行溪,到北邊的安平鎮就有七鯤鯓(一鯤鯓即安平鎮、二鯤鯓即今億載金城、三鯤鯓就是億載金城南邊對岸處、四鯤鯓就是現在的下鯤鯓、五鯤鯓就是現在的台南市喜樹、七鯤鯓就是現在的台南市灣裡);其中,由二層行溪到喜樹間的內海稱為喜樹港,喜樹港的北邊有北線尾島,該島與安平鎮之間稱為大港(大貝港的簡稱,又稱南口),北線尾島的北邊有隙仔嶼,北線尾島與隙仔嶼之間的隙口稱為鹿耳門港(又稱北口),而北線尾島東邊沿島的內海稱為北線尾港,在隙仔嶼的北邊到現今台南縣與嘉義縣界之間,還有加老灣、青鯤鯓、馬沙溝、青峰闕、海翁汕、北門嶼及南北鯤鯓等沙嶼。

這一大片由內陸海岸線與離岸沙嶼所圍成的水域,就是古稱的「台江內海」。

荷蘭人Ludwig-Riese在日記裡記載:「在1624年的八月間,把可用的東西都搬運到台灣……,他們(荷蘭人)在那海港裏,發現了許多中國船,就知道這個地方實在是日本人運去了許多鹿皮、絹絲與糖的商業中心。因此,他們馬上在海港前的小島築城。」

Ludwig-Riese日記中提到的海港就是現在的安平,也就是當時台江內海畔的台窩灣(Tayowon),而築城的小島就是當時的一鯤鯓。該城建於明崇禎三年(1630年),初名俄倫治城,後改名為熱蘭遮城。到了永曆四年(1650年),荷蘭人又在赤崁構築普魯民遮城,作為政務廳,治理台灣。

1661年,鄭成功率領兩萬五千名士兵進攻台灣。1662年,鄭氏將荷蘭

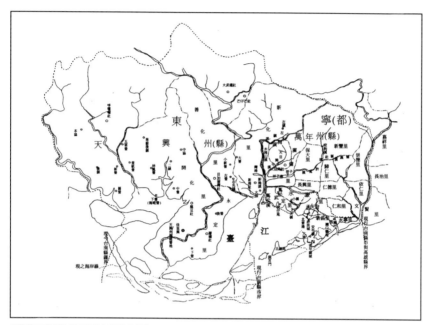

明鄭時期台南地區地圖。

資料來源／盧嘉興（1957）

人逐出台灣後，便擇居在熱蘭遮城，並將一鯤鯓改爲安平鎮，普羅民遮城改稱爲承天府，合稱東都，另設天興、萬年二縣，聘請陳永華等屯田開荒，招來大陸漢人墾植，並開始迎接明朝宗室遺臣來台。

　　從這段記載中，我們可以得知，早在荷蘭人到台江之前，中國人與日本人就已經在安平進行商業交易了。而且，明末清初的郡城——台南市也以台江內海爲屏障，成爲當時台灣島內的政治、軍事、教育、文化與經濟的中心。

　　所以，我們說台江內海是台灣開拓的源流，應不爲過！

　　然而，這片面積廣達三、四百平方公里、「可泊千舟」的浩瀚內海哪裡去了？

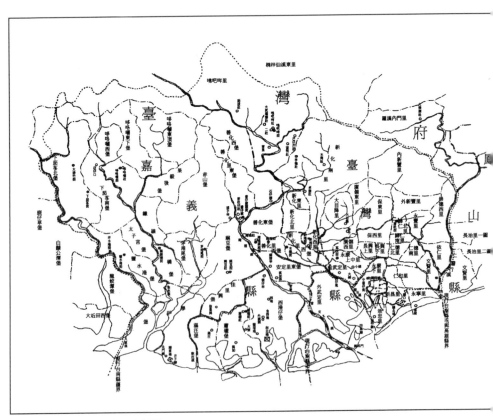

清道光年間台南地區地圖。

資料來源／盧嘉興（1957）

一場風雨　河川改道

　　要談七股潟湖的滄桑史，就得先談談台南縣境內最大的河流──曾文溪。因爲，在台南縣（昔日嘉義縣、安平縣的各一部份）舊疆域的變遷史中，曾文溪的改道一直扮演著重要的角色。

　　曾文溪發源自嘉義縣阿里山的水山，流經楠西、玉井、大內、官田、麻豆、西港、七股等鄉鎮，最後由台南縣七股鄉五塊寮與台南市安南區土城仔青草崙間入海，全長136.9公里，流域面積1,212平方公里，是台灣第四大河川。依據《諸羅縣志》卷一封域志山川條的記載：「麻豆之南曰灣裏溪，發源於噍吧哖內山，南過五步山練、大武壠二山，合卓猴山之流於石仔瀨，西流爲茄拔溪，至於新社。南合烏山頭之流，過赤山，至於灣裏，過蘇厝甲、檨仔林、蕭壠，西出爲歐汪溪。」再依據續修《台灣府志》卷一封域志山川條的記載：「諸羅縣灣裏溪，在縣治南七十里，源自於噍吧哖社內山，南過大武壠山合卓猴山之流，逕石仔瀨，過赤山出歐汪溪入海。」

　　綜合這些記載與荷據時期的各類海圖及地圖來看，灣裡溪就是現在的曾文溪，而它的下游在清朝初期就是經由歐汪溪（現在的將軍溪）入海。

　　到了道光三年（1823年）七月間，因連日豪雨，山洪暴發，使得原來流經蘇厝甲與檨仔林間，北轉蕭壠社，由漚汪西流入海的灣裡溪挾帶內山崩陷的泥沙，決堤改道經管寮向西，主流由鹿耳門流注入台江內海，支流在鹿耳門東邊向南，由安平角大港口入海。

　　在姚瑩所著的《東槎紀略》中有關籌建鹿耳門砲台的記事，也提到了這場大風雨以及台江內海的陸浮情形：「道光三年七月台灣大風雨、鹿耳門內海沙驟長變為陸地……，七月風雨海沙驟長，當時但覺軍工廠一帶沙淤廠中，戰艦不能出入，乃十月以後北自嘉義之曾文，南至郡城之小北門外四十餘里，東自洲仔尾海岸，西至鹿耳門內十五六里，瀰漫浩瀚之區，忽已水涸沙高變為陸埔，漸有民人搭蓋草寮居，然魚市自埔上西望鹿耳門不過咫尺，北線內深水，二三里即淺水，至埔約五六里，現際春水潮大，水裁尺計，秋多之後可以撩衣而涉，自安平東望埔上，魚市如隔一溝，昔時郡內三郊商貨皆用小船，由內海驟運至鹿耳門，今則轉由安平大港外始能出入。」

　　從這些記載中，我們可以肯定地說：台江內海在西元1823年七月的那場大風雨之後，漸次淤積浮為陸地，而今日風貌的由來，曾文溪的改道更扮演著重要的角色。

　　台江內海陸浮後，內海海岸線向西挺出，連帶地引發疆界之爭與爭佔陸浮地的控訴案件。道光七年，台灣道台孔昭虔指派委員，會同當時台灣縣與嘉義縣二縣勘查丈量縣界，並開始貼出公告招人前來墾殖；其中，嘉邑界內部分（溪北），由洪里、黃軍等16股首招佃開墾，後經作成72份分配，由東邊分配至西邊，所剩餘留下的部份稱作「公地尾」，由三股首、七股首、九股首招佃開墾者，稱作「三股」、「七股」、「九股」；至於台邑部份（溪南），則由富豪士紳申領，再招來各地無資的佃農從事開墾，並以招來的佃農出身地為村名，如中洲寮、學甲寮等。移民成為該地的佃戶，富豪則成為墾戶，向政府繳租而向佃戶徵收一定的租穀，稱為大租。這些富豪在其墾區內多設置有公館，並有以墾戶名作

為村落名稱者，如本淵寮即為黃本淵所有墾區的佃戶聚居的村落。

從此，開始了這塊新生土地的開發史！

滄海桑田　留下潟湖

道光年間曾文溪改道後，在原台江內海的中間區段（內海最廣闊的部份）老加灣港附近，形成一個新的港口，取代被淤廢的鹿耳門港，成為郡城進出的門戶，稱為國聖港，或稱國賽港、國使港、各西港。據記載，國賽港是當時台灣島內，除了北部的雞籠（現在的基隆港）外，較深的港口。它的位置大約在原台江內海的殘留部份，也就是三股溪、七股溪、西寮西邊一帶的內海，而國賽港口就在三股溪與七股溪口間，現在的美國塭外面的沙洲關口。

滄海桑田，台江內海淤積陸浮、國賽港口的遺跡已不再，但由歷史的記載與地理的變遷中，我們可以說：現在的七股潟湖正是當時台江內海的一部份，也是古台江內海在清道光三年七月的那場風雨及曾文溪決堤、改道後，歷經一、二百年淤積後僅存的最後遺跡、國賽港的所在。

1993

第一幕・Act One

1997

攝影／王徵吉

Act One,
Scene One

雀屏中選 粉墨登場

1993~1994

位於西南沿海的七股鄉跟台灣其他沿海的鄉鎮一樣，在人口外流與老化的陰影下，如何開發地方，增加工作機會，啓動地方繁榮，一直是大家關注的議題！

就在台塑六輕落腳在雲林麥寮後不久，大企業家們又張大眼睛，開始尋覓另一隻可以爲他們下蛋的母雞……

七股，這個擁有許多公有海岸土地、潟湖與台鹽土地，開發條件比雲林麥寮好很多的漁鄉，雀屏中選，讓這個原本沒沒無名的漁鄉，從此登上環境保護與經濟發展爭議的舞台……

財團看上眼了

故事是由鋼鐵業的燁隆集團開啓的。

1993年6月10日，燁隆集團向經濟部工業局提出一個投資金額1,120億元的「鋼鐵城」計畫，籌畫興建年產粗鋼量約650萬公噸的精緻一貫作業煉鋼廠，用地面積需求1,000公頃，並相中「七股工業區」作爲開發計畫的用地。

「七股工業區開發計畫」的預定用地位於曾文溪河口北岸，是一塊面積約827公頃的河川浮覆地（即河川新生地）。開發計畫是由台南縣政府於1987年主導推動，原計畫內容除了這塊河川新生地外，還包括整片七股潟湖、沙洲及附近漁塭。然因投資金額過高、風險太大，遭退件後才提出變更案，並於1991年9月30日正式向內政部提出申請編定爲工業區用地。由於工業區預定用地是世界稀有的黑面琵鷺度冬區，使得七股工業

區開發計畫備受國際保育團體矚目。1992年11月29日在黑面琵鷺棲息地發現520多顆廢彈殼，估計至少有20隻黑面琵鷺受傷，為七股工業區開發計畫埋下極大的變數。

在燁隆集團準備推動鋼鐵城計畫的同時，東帝士集團也於6月30日宣布：因發現台塑六輕投資計畫，未把香烴工廠所需用的原料列入規劃生產範圍，將計畫投資870億元興建煉油廠和化纖原料等相關的石化工廠。

9月27日，東帝士集團由所屬的東展興業公司提出石化綜合廠投資計畫，準備結合十餘家石化廠商，在台南縣七股鹽場投資1,500億元興建煉油廠及輕油裂解等相關工廠。當時的經濟部長江丙坤隨後就在10月29日邀請工業局局長王覺民、副局長潘丁白、國有財產局局長劉金標、台鹽總經理余光華、東帝士董事長陳由豪、台塑總經理王金樹等會商東帝士集團的投資計畫，原則同意東帝士集團依照《促進產業升級條例》有關規定，申請將台鹽總廠七股鹽場1,500公頃的土地報編為工業區後開發使用。

而起步較早的燁隆集團鋼鐵城計畫，卻因七股工業區用地預定地內的黑面琵鷺保育問題，遲遲無法定案。當年的10月底，便傳出燁隆集團準備將千億元的鋼鐵城計畫遷到東帝士集團計畫興建煉油廠及輕油裂解廠的用地隔壁。

1993年11月29日，爭議多年的七股工業區開發計畫被環保署第三度駁回。其中，最為關鍵的理由還是黑面琵鷺棲息與保育問題。

在燁隆集團鋼鐵城計畫被迫北遷之後，兩大財團的建廠用地問題馬上浮出檯面，加上東帝士集團計畫的用地位置與台鹽公司預定開發的新鹽灘相衝突，使得工業局不得不快馬加鞭，在1994年1月15日邀集兩個財團

與台鹽公司進行協調，達成共存共榮的共識，且不排除以填海造地方式，解決雙方建廠用地重疊的問題。

在這樣的共識下，4月14日，工業局召開協調會，協調開發單位的用地面積與分配，並同意由東帝士優先選定北方區位。協調後的廠區面積為2,367公頃（東帝士集團獲配1,331公頃，燁隆集團獲配1,036公頃），港區面積640公頃，合計3,007公頃；其中，使用鹽田面積為370公頃，沙洲潟湖面積為1,580公頃，海域面積為1,057公頃。

8月9日，工業局函示開發單位申請編定工業區的範圍，並同意由開發單位依據《促進產業升級條例》第23條規定辦理報編事宜，將七股鹽廠土地報編為工業用地。至於核定申請報編的範圍，相較於4月14日的協調結果，總面積多出了700多公頃，廠區面積維持2,367公頃，港區面積增加為1,406公頃，合計3,773公頃；其中，使用鹽田面積為370公頃，沙洲潟湖面積為1,455公頃（全部納入報編範圍），海域面積為1,948公頃。

反對聲浪湧現

就在建廠用地爭議底定，開發單位各有所得，開始編撰環境影響說明書的時候，兩大集團聯手開發案經過媒體披露，逐漸在台南地區傳開來。

時值母喪期的蘇煥智，從報紙上看到這兩大集團的開發案，當時的感受就如他在《黑面琵鷺的鄉愁──序》中所談的心路歷程：

　　小時候，我家位於鹽田、魚塭、農田交錯的地方，這是嘉南平原西濱七股鄉的一個小聚落。那時候，我喜歡清晨起床爬到「塭岸頂」，遠眺著七股鹽場雪白的鹽山在朝陽與藍天中閃耀著光輝，我也喜歡在涼風徐徐的下午時分，到水路去摸魚蝦，捉蟹、貝，摸蜊仔兼洗褲。

　　濱南工業區興建的位置，距離我的老家直接距離，不到四公里，而我摸魚蝦的「水路」就直接銜接到「七股潟湖」。試想，當清晨起來，藍天、鹽山、水鳥群飛，換成濛濛地幾十隻大煙囪與燃燒的火炬，真是情何以堪；偶而在午夜夢迴驚醒時，我的內心猶如遭到「強盜拚庄」之痛！

　　故鄉啊！故鄉！難道這一片美麗的土地就這樣淪為貪焚與無知的祭品嗎？

　　1994年5月13日，蘇煥智邀請產官學界在立法院第十會議室召開「七輕、燁隆七股開發案公聽會」，發聲反對兩大財團的開發案。

　　反對開發案的聲浪開始一波接一波……

◎南部教授　捍衛台灣海岸

　　1994年8月21日，由南台灣教授群組成，以保護海岸、反對工業污染為訴求的「台灣海岸保護協會」在台南縣佳里鎮北門高中禮堂舉行成立大會，由成功大學統計系黃銘欽教授擔任召集人。

　　也是七股人的黃銘欽認為：台灣原有的潔淨海岸，因一味地開發已被

破壞得面目全非，整個西南海岸就只剩下七股海岸較爲乾淨，若兩個財團到七股海岸來興建鋼鐵廠與化工廠，勢必讓天然又美麗的海岸蒙塵。

9月9日，黃銘欽率領台灣海岸保護協會成員前往台南縣政府靜坐，召開記者會，表達反對財團開發工業區設立七輕與鋼鐵城的立場，並當場陳列東帝士集團旗下設立在山上鄉與新市鄉的東展實業與東雲紡織數年來污染當地環境的圖片，展現學者投入社會關懷的行動力。

◎反對污染　宣誓抗爭決心

1994年9月11日，繼台灣海岸保護協會之後，在王幸男先生（現任立法委員）總策劃下，以「反對七輕與鋼鐵城開發計畫，並爭取在七股設立高科技工業園區，鼓勵把七股開發爲國家公園」爲訴求的「濕地國家公園／高科技工業園區促進會」，在七股鄉頂山村漁民活動中心宣佈成立，由陳朝來先生擔任會長。

爲了表達反對七輕與煉鋼廠的決心，成立會當天，並由陳朝來帶領與會的三百餘名鄉民，集體宣誓「爲著區域的生存，願意奉獻心血，絕對不和財團掛勾，抗爭到底」。

9月12日，濕地國家公園／高科技工業園區促進會發動民眾前往台南縣政府面見陳唐山縣長，反對東帝士、燁隆到七股沿海地區設立高污染的七輕與大煉鋼廠。

◎搶救濕地　成立行動聯盟

爲了串連民間團體的力量，1994年9月30日上午十時於立法院群賢樓九樓大禮堂，在成功大學黃銘欽教授、李輝煌教授、水產試驗所台南分

↑1994年9月30日反七輕、反大煉鋼廠行動聯盟成立大會。提供／愛鄉文教基金會

所林明男博士、台灣大學化工系施信民教授、物理系張國龍教授，以及
立法委員蘇煥智共同主持下，來自全國各地關心台南縣七股海岸濕地命
運的團體代表與學者專家，包括台灣海岸保護協會、台灣教授協會、濕
地國家公園／高科技工業園區促進會、台灣環保聯盟等，宣佈成立「反
七輕、反大煉鋼廠行動聯盟」，並推舉林明男博士為南區總召集人，施信
民教授為北區總召集人，以「保護台南沿海的濕地自然資源，防止高污
染工業填海設廠，要求規劃能維持永續環境的農、漁、鹽、水產業等自
然觀光休閒產業，並設立全國第一座國家級的濕地自然公園」為工作目
標。

　　反七輕、反大煉鋼廠行動聯盟成立後，擴大結合生態保育聯盟各加盟

團體，成爲反七輕、反大煉鋼廠搶救濕地聯盟。搶救濕地聯盟發起全國性連署，到1994年10月15日止總計收回1,500份聲援連署書，使得反七輕、反大煉鋼廠成爲全國環保團體關注的議題。

◎拍攝影片　宣傳西濱之美

「把這個屬於台灣人尋根的發祥地──七股潟湖、沙洲、濕地，以及這塊土地上豐富的自然、人文資源，特殊的鹽田、養殖漁業風貌等，利用影音記錄下來，留給後人永恆的印象。」──這是1994年10月26日蘇秋女士（巨濤視聽製作傳播有限公司製作人，蘇煥智的姑姑）受蘇煥智邀請走訪七股潟湖後浮現腦中的構想。

1995年1月6日，這個構想終於化爲行動，由愛鄉文教基金會與蘇煥智國會辦公室共同委託巨濤視聽製作傳播有限公司拍攝一部以「西濱之美」爲主題的紀錄片。

1995年2月4日，「西濱之美」正式開鏡，3月13日完成母帶，在長達一個多月的拍攝期間，工作群前後進出七股四次。據蘇秋女士表示：爲了拍攝黑面琵鷺起飛的畫面，攝影師就連續在棲息地附近守了七個工作天。

1995年3月15日，這部長達54分鐘、記錄了台江內海歷史與地理變遷、七股潟湖與沙洲生態景觀、七股沿海漁業資源、人文與宗教資產，以及鹽田風貌的「西濱之美」終於問世！

而後，巨濤視聽製作傳播有限公司應蘇煥智請託，走訪拍攝高雄林園、大社、後勁、山上一帶居民因五輕、東展（東帝士關係企業）石化污染的受害情形，並將「西濱之美」與反七輕、反大煉鋼廠抗議活動紀

錄畫面剪接成「西濱命運的抉擇」紀錄片,該紀錄片於1995年3月22日完成。

這是第一部完整記錄七股一帶歷史、人文、生態與產業風貌的紀錄片!蘇秋女士在日記裡寫著:看著煥智在沙洲上,光著腳、挽起褲管跑上跑下,他像個孩童,不是政治人物、更不是政客,看著他對鄉土的熱情,對這片土地的執著,我這個當姑姑的,為他做這麼點事,算什麼呢?

◎辦說明會 闡述環保理念

濕地國家公園/高科技工業園區促進會、反七輕、反大煉鋼廠行動聯盟、台灣海岸保護協會等團體,為了讓七股鄉民了解石化工廠與煉鋼廠設立後污染環境的後遺症,從1994年10月起連續到各村落舉辦十一場反七輕說明會:10月8日在頂山村代天府,9日在篤加村文衡殿,10日在中寮村天后宮,15日在十份村聖護宮,16日在三股村龍德宮,22日在竹橋村慶善宮,23日在佳里鎮新生路,24日在西寮村西興宮,25日在龍山村長壽俱樂部,30日在將軍鄉青鯤鯓朝天宮,31日在將軍鄉馬沙溝大廟前。

◎訪民進黨 熱臉碰軟釘子

為了挽救台南西南沿海珍貴的海岸濕地,包括主婦聯盟、中華鳥會、台北鳥會、關懷生命協會、新環境基金會、台灣環保聯盟、台灣教授協會與綠色行動綱領等團體代表,在台灣大學化工系施信民教授帶隊下,於1994年11月2日拜會民主進步黨中央黨部,除了就黨籍的陳唐山縣長在

本案中曖昧不明的立場向民進黨黨中央表示失望外,也希望民進黨能基於該黨黨綱的環境保護宣示,將此議題排入中常會,認真思考這個開發案的影響與嚴重性。

負責接見的副秘書長邱義仁與社會運動部主任賀端蕃,在環保團體提出五項訴求後,雖然勉強答應將該案排入當天下午的中常會議程,但至於是否表達贊成或反對的立場,則是交給組織部與社運部研究,再視研究結果而定。

經過四個月的調查與研究,由民進黨社運部賀端蕃與林宜瑾署名的《台南縣濱南工業區開發案瞭解報告》,終於在1995年3月14日發表。

該報告建議民進黨政策中心與環保團體合作邀請學者專家組成審查小組,儘速審查開發單位所提出的報告,提出意見,作為黨中央與立委發言的參考。

3月22日,民進黨第六屆中常會第三十二次會議中作了兩點決議:

1. 重申本黨黨綱「匡正過去破壞生態環境之經濟掛帥政策,確立生態保育及生活品質優先之原則」。

2. 責成本黨立院黨團加強對本案的關注與監督,一方面在立法院要求經濟部、環保署、農委會等相關機關說明本案,另一方面舉辦系列公聽會,邀請主管官署、業主代表、專家學者、環保團體、居民代表、台南縣府……等,就本案作詳盡的討論,嚴加把關,並將相關決議函文通知台南縣長陳唐山。

3月30日民進黨中央依第六屆中常會第三十二次會議決議,行文(中社字第95009號)給民進黨立法院黨團,副本給台南縣縣長陳唐山先生,要求加強對台南縣濱南工業區開發案的關注與監督。

有誰能逆料，在這個決議文之後，「民進黨」三個字會成為反七輕運動的痛，因為「民進黨的態度如何？」、「民進黨過去反五輕、反六輕，現在為什麼不反七輕？」成為兩個最常被詢問的問題！

開發計畫成形

就在反對七輕及大煉鋼廠開發計畫的聲浪一波波湧現的同時，兩個開發單位推動開發計畫的決心絲毫沒有受到影響。1994年8月24日下午，燁隆總經理郭炎土、東帝士副總經理黃丙喜率領兩個企業的幹部與環評工程顧問公司，前往台南縣政府向陳唐山縣長與縣府各相關單位主管簡報開發案。

1994年8月31日，東帝士副總經理黃丙喜對外指出，東帝士已與燁隆達成共識，將兩個公司的投資案合併訂名為《濱南工業區綜合開發計畫》（以下簡稱為《濱南工業區開發計畫》或《濱南案》或《本案》）。

1994年9月12日，東帝士與燁隆兩個開發單位低調地在台南縣佳里鎮成立「濱南工業區聯合開發籌備辦公室」，由燁隆集團專任顧問郭錕麟先生擔任辦公室發言人，負責地方的溝通協調工作。

1994年12月5日，《環境影響評估法》即將公告實施前夕，醞釀了近18個月的《濱南工業區開發計畫可行性規劃報告》及《濱南工業區開發計畫環境說明書》，終於由東帝士與燁隆集團以興辦工業人名義送交台南縣政府、省政府及經濟部工業局轉環保署審查。

台南縣政府也在接到最後一批申請說明書後，於12月20日公布《濱南

工業區開發計畫可行性規劃報告》及《環境說明書》審查進度，預訂1995年一月中旬由業者簡報、會勘廠址，二月中召開公聽會，三月進行審查決議是否通過送交省政府。

至此，「濱南工業區開發計畫」的內容終於全貌呈現！

濱南工業區預定設於台南縣七股鄉，位置在新山寮及西寮村以西，青鯤鯓村以南。包含東帝士七輕煉油廠、相關石化廠共31座工廠及燁隆精緻一貫作業鋼廠兩個開發案，廠區面積為2,367公頃，外加一個面積為1,406公頃的工業專用港及發電廠，總計面積為3,773公頃。其中，使用鹽田面積為370公頃，沙洲潟湖為1,455公頃，海域面積為1,948公頃；廠址所在地為七股潟湖、魚塭、台鹽鹽田與部份海域，開發單位計畫從海底抽沙來墊高廠區基地。

工業專用港位於七股鹽場西側網子寮沙洲外海，將軍溪以南、七股溪以北間。港區水域542公頃，北防波堤3,260公尺，南防波堤約692公尺，港口開口朝西南，有效寬度500公尺，航道長約1,800公尺，寬度450公尺以上，航道水深21公尺，規劃碼頭船席30席，石化廠與煉鋼廠各15席。

開發單位宣稱：濱南工業區開發計畫的總投資金額超過4,300億（東帝士部份為3,200億，燁隆部份為1,140億），營運後，東帝士七輕煉油廠及相關石化廠每年可提煉1,800萬噸的原油，年產181.6萬噸的芳香烴、159.8萬噸的烯烴石化原料；燁隆煉鋼廠每年可生產701萬噸的各類鋼品。所帶來的投資效益，在石化廠方面，年產值為2,051億，提供17,156個就業機會；在煉鋼廠部份，年產值為985億，提供18,572個就業機會。

在東帝士集團（大東亞石油化學股份有限公司）的開發計畫中並沒有「七輕」這兩個字，但因東帝士的石化綜合廠計畫內擁有繼中油（五輕）

濱南工業區開發計畫報編範圍圖。

資料來源／聯鼎鋼鐵股份有限公司與大東亞石油化學股份有限公司等（1996；2005）

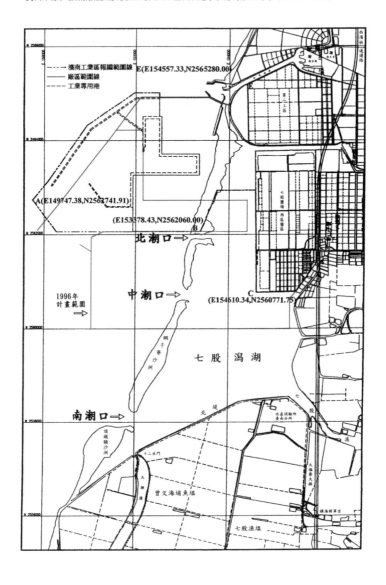

與台塑（六輕）之後，國內的第七座輕油裂解廠，為了便於稱呼，以及讓一般大眾了解，所以就冠上了「七輕」，甚至把東帝士的石化綜合廠計畫簡稱為「七輕」。事實上，東帝士的石化綜合廠並不只是一座輕油裂解廠而已，而是包括了煉油廠、芳香烴廠、烯烴廠，以及中下游石化產品工廠共計31座。

至於燁隆的一貫作業煉鋼廠則是以鐵礦砂、煤礦為原料，經燒結、煉焦過程而成燒結礦及焦碳，再加入石灰石，注入高爐鍛燒成鐵水，然後將鐵水添入合金礦（錳礦、矽礦），廢鐵經轉爐精煉成鋼液，並將鋼液經連續鑄造機澆鑄成扁鋼胚或大鋼胚；其中，大鋼胚可再軋延成為小鋼胚，扁鋼胚則經鋼板工廠或熱軋工廠產製成為鋼板、熱軋粗鋼等，而小鋼胚則再經棒材工廠或線材工廠產製成為棒材或線材。所以，它不只是一家工廠，而是包括了三座轉爐（高爐）、燒結廠、煉焦廠、燒石灰工廠與系列的大型軋鋼廠等。

開發計畫的內容經過幾年的折衝後，依據2006年1月19日環保署公告的《濱南工業區開發計畫環境影響評估報告書》定稿本顯示：開發的面積縮小為1,732.05公頃，其中，東帝士的石化綜合廠佔564.14公頃，燁隆的一貫作業煉鋼廠佔558.62公頃，工業專用港範圍約609.29公頃，總投資金額也調降為3,094億。其中，東帝士的石化綜合廠投資金額降為1,954億，燁隆的一貫作業煉鋼廠則維持1,140億，可提供的就業機會則縮減為12,000個。至於施工期間可產生的波及效果、工作機會、間接稅，以及營運期間的產值可帶動的相關產業就業機會、間接稅等，則「略為減少」。

Act One,
Scene Two

階環評 提前暖身

1994~1995

開發單位把《濱南工業區開發計畫環境說明書》送到台南縣政府的
時間，恰巧是在《環境影響評估法》正式公告實施之前，對雙方
陣營而言，如何攻防？是一個不曾有過的經驗。

民間評估會議　率先登場

首先，台灣環保聯盟、反七輕反大煉鋼廠搶救濕地聯盟與生態保育聯
盟等各加盟團體在蘇煥智國會辦公室馬士元與王誠之的支援下，於1994
年12月30日下午二時在立法院第九會議室召開「七股濕地開發案環境衝
擊評估會議」，由台灣環保聯盟施信民教授主持。評估會議指出濱南工業
區開發計畫將對南台灣生態產生重大衝擊，包括「使得南台灣最大的海
岸濕地毀於一旦，珍貴的濕地生態將從寶島消失」、「破壞黑面琵鷺棲息
地，使台灣再度背上國際譴責的惡名」、「高達7,275萬立方公尺的土
方，相當於十條中山高速公路的用土，所需的大量土方將破壞海岸地
形」、「每天高達32萬噸的用水，將迫使興建美濃水庫與瑪家水庫」、
「南台灣的沿海魚類將失去產卵場所」等。

開發單位簡報　鄉民抗議

依據台南縣政府於1994年12月20日公布的審查進度，台南縣政府在
1995年1月6日發函通知舉辦「濱南工業區報編工業用地興辦工業人簡報

←1995年1月20日反濱南
鄉親在說明會場外抗議

→1995年2月10日反濱南鄉親到七
股鹽場辦公室反對台鹽土地遭財團
併吞。
提供／愛鄉文教基金會

及會勘前說明會」。

　　說明會前一天（1月19日），蘇煥智、台灣教授協會林明男博士、濕地
保護聯盟翁義聰老師、濕地國家公園／高科技工業園區促進會會長陳朝
來、青鯤鯓村村長王燕宗等人召開「七股開發問題面面觀」記者會，針
對七股開發案提出聲明，指出濱南工業區的開發將影響當地生態環境與
人民生計，並要求在替代方案提出前，馬上停止環境影響評估程序。聲
明中也強調支持七股地區的繁榮與發展，但堅決反對殺雞取卵、短視近
利的開發案。

　　1月20日的說明會，湧入近千位反對開發案的民眾，主持說明會的陳唐山縣長眼見會場秩序失控，只好改變程序，先請反對濱南案的鄉親發言，並親自接受陳情書。

　　就在近千位民眾與團體代表的反對下，原定1月27日辦理的現場勘查計畫也因此取消。

　　這是《濱南工業區開發計畫環境影響說明書》送到台南縣政府後，由台南縣政府主辦的第一次、也是唯一的一次審查會。

環團實地勘查　拜會縣長

　　搶救濕地聯盟召集人施信民教授、林明男博士、台灣環保聯盟、台灣教授協會、台灣海岸保護協會、主婦聯盟、台灣綠色和平、綠色主張、關懷生命協會、新環境基金會、生態保育聯盟、台北鳥會、綠色行動綱領、中華鳥會、濕地保護聯盟等團體代表高成炎教授、徐光蓉教授、郭城孟教授、吳慶平教授、林碧堯教授、鄭先祐教授、黃銘欽教授及翁秀綾女士等十餘人，會同蘇煥智、省議員鄭國忠於1995年1月23日上午先到濱南工業區計畫廠址勘查，並在當日下午拜會陳唐山縣長，除當面向陳縣長表達反對開發濱南案的立場外，並請求陳縣長不要引進高污染的工業。

　　這場拜會活動在各說各話中結束，找不到交集。

支持濱南開發　浮現檯面

　　自從濱南工業區開發計畫曝光以來，支持濱南案的地方人士終於在台南縣議員方隆盛的號召下，於1995年4月14日上午9時30分在七股國小禮堂舉行「大七股地區整體規劃與開發住民權益促進會」籌備大會，選出48位籌備委員，由方隆盛擔任召集人，成員包括縣議員、七股鄉代表會代表、村長等。籌備會並以號召五千位會員為目標。

　　1995年9月25日，「大七股地區整體規劃與開發住民權益促進會」召開成立大會暨第一次會員代表大會，投票選出十五名理事與五位監事。由方隆盛擔任理事長，吳仲常擔任總幹事。成立大會會場並展示萬人申請入會名冊，有展現基層實力的意味。

Act One,
Scene Three

攻防焦點 轉往台北

1995~1996

1995年1月20日的衝突，加上《環境影響評估法》已公告實施，台南
縣政府決定2月23日北上經濟部工業局，邀請環保署、內政部、經濟
部等單位研商東帝士石化綜合廠及燁隆精緻一貫作業鋼廠申請報編工業
用地作業程序，釐清濱南案報編程序與權責。協調結果確認濱南案的環
境影響評估將由中央政府審核裁定，地方政府僅須對開發業者所提工業
區地籍圖等土地相關資料進行核對，其餘《可行性規劃報告》與《環境
影響說明書》分別由工業局與環保署審查。

　　至此，確定濱南案環境影響評估的審查重心在台北，正反雙方的戰場
也將轉到台北。

程序審查　一來一往

　　1995年5月2日，經濟部將開發單位的《濱南工業區開發計畫環境說明
書》函送環保署審查。

　　5月18日，環保署將程序審查結果函請開發單位釐清及補充相關資料：

1. 開發內容與面積總和明顯不符經濟部轉送的工業區開發編定申請
   案(面積為2,367公頃)，應就申請編定內容、範圍與面積予以釐清。

2. 開發單位應依環境影響評估法第六條規定，修正「環境說明書」
   為「環境影響說明書」，且因本案涉及海岸開發，應依環保署海岸
   開發環境影響評估審查作業要點規定，補充環境敏感及特定目的
   區位調查表、基地水深地形圖、最近五年及最近一年實地調查的
   海象調查資料、輸砂量粒徑分析調查資料、土壤調查資料、一年

四季的生態調查資料、水權及水利設施（含計畫用水需求及來源）
等社會經濟調查資料等。

6月9日，開發單位將編製的《濱南工業區開發計畫環境影響說明書程
序審查補充暨意見答覆說明》，送請台南縣政府、省政府及經濟部工業局
轉環保署。

8月26日，環保署再提《濱南工業區開發計畫環境影響說明書初審書面
意見》，函請開發單位盡速補正相關資料。

9月26日，開發單位再編製《濱南工業區開發計畫環境影響說明書初審
書面意見答覆說明》，送請經濟部工業局轉環保署審查。

現場勘查　海陸對峙

1995年8月3日，環保署環境影響評估審查委員會委員（以下簡稱環評
委員）、學者專家、相關機關及團體代表，在環保署綜計處副處長洪正中
帶領下，前往七股，辦理濱南案現場會勘。

由於會勘前，贊成與反對的雙方就已經放話且展開動員，使得會勘行
程瀰漫著緊張氣氛。

依照行程，會勘人員先抵達七股鄉公所聽取開發單位簡報，並接受贊
成濱南案的「大七股地區整體規劃與開發住民權益促進會」遞送的萬人
入會名冊與陳情書，簡報後，一行人即分赴十個預定會勘的地點。

當會勘人員抵達水產試驗所前的潟湖湖畔時，反對濱南案的團體動員
了一百多艘船筏在海上持白布條表達反對設立高污染七輕與煉鋼廠的立

場，與堤防上支持開發案的群眾形成海陸對峙的場面。

這是正反雙方第一次對峙，也是第一次的面對面衝突！

實質審查　攻防上場

◎七股鄉親　對峙台北街頭（1995.11.10）

↑1995年11月10日七股鄉親第一次對峙在環保署門前。
提供／聯合報系

1995年11月10日，環保署召開「濱南工業區開發計畫環境影響說明書專案小組第一次初審會議」，這也是濱南案移師台北進入實質審查階段的第一場審查會，正反雙方嚴陣以待，贊成的一方動員了五部遊覽車，200多位民眾一大早就集結在環保署門外，反對的一方也動員了500多位鄉親到達現場。贊成的紅布條與反對的白布條在台北街頭形成對峙，而環保署十三樓的大會議室裡也擠得滿滿的。雖然有支持的聲音，但會議記錄顯示：與會環評委員及專家學者皆認為本開發案位於台灣西海岸沙洲、潟湖、沙丘分布區，屬環境敏感地帶，

開發案將使沙洲、潟湖、沙丘消失，絕非如說明書所稱影響輕微，開發單位應對整個環境生態的改變與干擾全面評估，並就替代區位與規模重新作可行性研究。

　　會議以「本案開發地點涉及沙丘、沙洲、海岸、淺海及潟湖，開發面積廣大，工業港闢建及產業開發，其引起之影響，非僅本工業區及本工業區之闢建及發展，並影響台灣地區整體產業發展策略、社經發展、工業區區位合理規劃及分布，以至於對七股地區及其鄰近地區甚至台南縣、南部區域計畫產生衝擊。」做成結論，並綜合下列二項共識，要求開發單位於三個月內補正資料：

1. 本案委員及專家學者、相關機關、團體初審意見認為應提出工業區區位替代方案資料，請開發單位以環境影響觀點，就不同工業區區位選擇及石化、煉鋼不同區位設置等方向，於本說明書內提出其替代評估資料。

2. 本案初審之實質審查意見計有海岸、漁業資源及漁業權、自然保育、公害、用水、海域底質及其他等問題，雖經開發單位加以簡報及說明，仍未能釐清，因此請開發單位須將初審會議中所提出之各項內容以及對委員、學者專家、相關機關、團體所提書面意見及會議中提出之意見等，正式補充納入說明書後，另由各委員及專家學者、本署等深入詳細審查後再行提出對本說明書審查意見之具體意見。

　　第一次初審會的結論，已經為濱南工業區開發計畫將成為區域性的、甚至是全國性的議題埋下了伏筆，而結論中也明確要求「開發單位應以環境影響觀點，就不同工業區區位選擇等提出替代方案」。遺憾的是，所

謂的「替代方案」，自始至終都只是開發計畫名稱上的標題而已。

當天的晚報與第二天的早報出現「七股鄉親對峙台北街頭」、「場內辯論場外對峙」的標題。

雖然這不是正反雙方第一次的對峙，卻是七股鄉親第一次在異地「相逢」，打破環保史紀錄，是空前，但卻不是絕後。

幾年後，1999年5月底，當美濃水庫開發案預算再度送到立法院審查時，美濃當地出現贊成興建美濃水庫的組織，且跟反水庫的團體一樣走上街頭，甚至與反水庫的鄉親在台北街頭對峙！

◎再次審查　替代方案出爐（1996.1.18）

1995年11月28日，環保署召開「環境影響評估審查委員會第二十二次會議」，針對濱南工業區開發計畫決議「因開發單位已另提替代方案送審，將原案註銷」。

12月29日，開發單位將編製的《濱南工業區開發計畫環境影響說明書專案小組初審書面意見答覆說明》送交環保署審查，補正後的替代方案使用沙洲、潟湖比例降為60%，廠區面積維持2,367公頃（石化綜合廠1,331公頃，精緻一貫作業鋼廠1,036公頃），港區面積降為458公頃，總計面積降為2,825公頃。其中，使用鹽田面積為1,041公頃，沙洲潟湖面積為948公頃，海域面積為813公頃，其他為23公頃，東帝士並堅持選定在南邊區位做廠址。

表面上看來，開發單位已經針對11月10日專案小組第一次初審會議結論提出替代方案，而環保署也早先一步註銷原方案（11月28日），並續就所提替代方案（位置北移，潟湖、沙洲使用百分之六十）進行審查。但

從後續審議中，環評委員與專家學者的發言，不難發現所謂的替代方案仍是「換湯不換藥」的結果。

1996年1月18日，環保署召開「濱南工業區開發計畫環境影響說明書補正資料專案小組第二次初審會議」，環評委員與專家學者的發言重點還是擺在區位評選與替代方案，因此，審查會議的結論也以區位替選的評比為主：

1. 區位替代部份仍請就國土利用、不同區位地點設置、工業區佔用沙洲、潟湖比例及開發面積之規模等，以環境、生態、人文社經影響等因子為主軸，對區位替選方案加以評比分析。

2. 計畫區位上移涉及台鹽鹽田使用，是否可以租用方式處理，請補充說明。

3. 各與會委員、專家學者、機關代表認為開發單位所提資料不全，答覆說明項目內容尚待充實，請開發單位納入改正。

遺憾的是，開發單位的區位替選評估，始終都是從開發的角度切入。簡單講，就是「要」定了這個地方！

◎三度審查　重編替代方案（1996.2.6）

1996年1月31日，開發單位將編製的《濱南工業區開發計畫環境影響說明書補正資料專案小組初審會議意見答覆說明》送環保署，原則同意降低使用沙洲、潟湖面積之比例。

2月6日，環保署召開「濱南工業區開發計畫環境影響說明書補正資料專案小組第三次初審會議」，環評委員與專家學者們還是認為區位評比應

納入各方面專家，客觀地進行，而不是由開發單位自行評比，建議比照Napa River的方法，籌組委員會評選替代方案。

　　因此，會議結論還是跟前一次差不多：

1. 請開發單位依本專案小組委員、學者專家及有關機關、團體意見補正資料，並重新編製替代方案之完整環境影響說明書，經目的事業機關轉送本署後，再擇期由小組委員、學者專家及有關部會進行審查。

2. 涉及各部會權責問題（如用水問題——經濟部水利司、水資會、自來水公司，產業關聯政策——經濟部工業局……），在程序上相關機關宜先協調並表明立場，並請開發單位再加強溝通。

3. 本案場址選擇替代方案評比應由委員、學者、專家來進行以保持其客觀與公正。

◎環評大會　確認審查程序（1996.2.13）

　　1996年2月13日，環保署召開「環境影響評估審查委員會第二十四次會議」，針對濱南工業區開發計畫專案小組審查結論與審查程序做成下列決議：

1. 確認前三次專案小組審查結論及審查程序：

　（1）1995年11月10日專案小組審查後，原案經第二十二次環境影響評估委員會議決議註銷。

　（2）1996年1月18日專案小組係對替代方案（位置北移，潟湖、沙洲使用百分之六十）進行審查。

（3）1996年2月6日專案小組係對補正資料進行審查。

（4）開發單位依1996年2月6日專案小組結論送審之文件為第二次替代方案。

2. 請專案小組依程序審查第二次替代方案環境影響說明書，獲致結論後提報委員會。

3. 委員會建議如下，作為開發單位規劃替代方案及專案小組審核之參考：

（1）除必要部分外，應儘量減少潟湖使用，並考量多使用現存鹽田，以降低對生態之衝擊。

（2）應研擬具體的潟湖、海岸保護措施，以避免生態、潟湖破壞及海岸流失。

（3）為避免產生巨大且難以回復之影響，是否需開發如此龐大的工業區，仍有斟酌餘地，請考量石化廠、專用港、大煉鋼廠分開不同區位設置或作適當切割之替代方案。

（4）應特別注意開發對鄰近特殊建築物、村落、漁港之保護工作，並對居民之影響減至最小的程度。

（5）所提說明書數據、推論及其專業性能否合乎邏輯？請再檢討修正，希望能真正面對問題答覆及處理。

（6）興建港口對潟湖影響請納入評估。

（7）海域觀測站、調查、底棲生態……等資料，應隨位置變更而更新補正。

◎四度審查　原則同意過關（1996.4.19）

　　1996年2月14日，開發單位將編製的《濱南工業區替代方案環境影響說明書》送環保署審查。補正後的替代方案使用沙洲、潟湖面積的比例降為47.2%，廠區面積維持2,367公頃（石化綜合廠1,331公頃，精緻一貫作業鋼廠1,036公頃），港區面積增為542公頃，總計面積增為2,909公頃；其中，使用鹽田面積為778公頃，沙洲潟湖面積為983公頃，海域面積為1,125公頃，其他為23公頃。

　　4月19日，環保署召開「濱南工業區替代方案環境影響說明書專案小組第四次初審會」，雖然大多數環評委員與專家學者對本案仍有疑慮，但因有部分環評委員與專家學者建議讓開發案進入第二階段環境影響評估，再仔細予以評估，因此，會議做出了讓濱南案有條件進入第二階段環境影響評估的結論：

1. 建議經建會及經濟部工業局在採取發展許可時，對國土及海岸之合理利用開發及保護宜有妥善規劃及引導，以維台灣之永續發展，並妥擬廿一世紀發展藍圖。

2. 本案建議有條件進行第二階段環境影響評估，其條件如下：

（1）工業區位或其配置請遵照八十五年二月十三日環境影響評估審查委員會之建議（3）「為避免產生巨大且難以回復之影響，是否需開發如此龐大的工業區，仍有斟酌餘地，請考量石化廠、專用港、大煉鋼廠分開不同區位設置或作適當切割之替代方案。」辦理，並對本開發區、鄰近區以生態觀點提出具體之探討及客觀評比。

（2）為保護潟湖、沙洲，開發工程或計畫應採取適當設施或技術替代方式（如專用港港口以棧橋方式替代），藉以避免潟湖、沙洲之使用。

（3）用水問題仍應進行深入確實之探討及規劃，不宜僅以節省用水等難以解決之方式替代，並應有經濟部正式確認供水需要量及時程。

（4）漁民、漁業權及涉及居民權益等社會、經濟因素應加以深入評估調查、瞭解，並提出妥善之補償及因應對策。

（5）本開發案之開發面積宜在環境容許負荷下（如考慮當地空氣污染總量之限制……等）進行規劃，並調整其適當的開發面積與規模。

（6）如有獨立電廠之設置，則應依法進行環境影響評估。

（7）有關生產方式、污染防治、海岸影響、溫排水與水之回收再利用以及生態等，仍應確實調查評估及研提對策。

3. 請開發單位就前述條件（2.－（1）（2）（5）（6））備妥草案配置及因應措施，供本署環境影響評估審查委員會審查參酌。

　　第二項結論中所列條件，一直到濱南案有條件通過環境影響評估，甚至到環境影響評估報告書定稿為止，都看不出來「條件」有消失的跡象。

　　看來，「有條件通過環境影響評估」真是環境影響評估機制中，進可攻、退可守的「利器」。

◎審查過關　附帶七項條件（1996.5.6）

　　1996年5月4日，環境影響評估審查委員會第二十六次會議前夕，生態保育聯盟發起「請燁隆、東帝士搬家」連署活動，並召開記者會公佈連署名單，要求環保署和環評委員在審查《濱南工業區替代方案環境影響說明書》時，為台灣環境把關。

　　同一天（五四文藝節），包括小野、平路、劉克襄等作家也加入生態保育陣容，從人文和文化關懷的角度來關心這塊鄉土，籲請政府不要通過濱南案。

　　5月6日，環保署召開「環境影響評估審查委員會第二十六次會議」審查《濱南工業區替代方案環境影響說明書》，作成讓濱南案有條件繼續進行第二階段環境影響評估的結論，且附帶下列的條件與決議：

↑1996年5月4日平路、小野、劉克襄等作家與北市野鳥學會總幹事曾美麗在台大校友會館召開記者會，籲請政府不要通過濱南案。
提供／中時報系

1. 本案有條件繼續進行第二階段環境影響評估。其條件如下：

(1) 工業區位或其配置請遵照八十五年二月十三日環境影響評估審查委員會之建議（3）「為避免產生巨大且難以回復之影響，是否需開發如此龐大的工業區，仍有斟酌餘地，請考量石化廠、專用港、大煉鋼廠分開不同區位設置或作適當切割之替代方案。」辦理，並對本開發區、鄰近區以生態觀點提出具體之探討及客觀評比。

(2) 為保護潟湖、沙洲，開發工程或計畫應儘量採取適當設施或技術替代方式，其開發使用潟湖、沙洲之比例，應降至百分之三十以下，且應提出具體計畫，以保護其他未使用之潟湖、沙洲。

(3) 用水問題仍應進行深入確實之探討及規劃，不宜僅以節省用水等難以解決之方式替代，並應有經濟部正式確認供水需要量及時程。

(4) 漁民、漁業權及涉及居民權益等社會、經濟因素應加以深入評估調查、瞭解，並提出妥善之補償及因應對策。

(5) 本開發案之開發面積宜在環境容許負荷下（如考慮當地空氣污染總量之限制……等）進行規劃，並調整其適當的開發面積與規模。

(6) 如有獨立電廠之設置，則應依法進行環境影響評估。

(7) 有關生產方式、污染防治、海岸影響、溫排水與水之回收再利用以及生態等，仍應確實調查評估及研提對策。

2. 附帶決議：

（1）本開發計畫定案後，其開發區位以南至曾文溪河口間，本委員會不再接受新開發個案。並建議內政部、農委會等主管機關，依法將上述範圍劃設為保護區或野生動物棲息環境。

（2）有關「海岸法」之研訂立法及海岸地區整體規劃，建請主管機關儘速依院長指示辦理，俾使海岸開發有整體而周延之規範，以避免僅就開發個案審查而產生缺失。

（3）本案沙洲、潟湖範圍如有疑義，請專案小組認定之。

對於贊成濱南案的人來講，只要開發案沒有死，就有機會。但是對反對的人而言，沒有辦法在第一階段把開發案擋下來，就是一種挫敗。

奇怪的是，在所有環評委員與專家學者所組成的專案小組會議中作成的「為保護潟湖、沙洲，開發工程或計畫應採取適當設施或技術替代方式（如專用港港口以棧橋方式替代），藉以避免潟湖、沙洲之使用。」結論，為何到了只有環評委員的環境影響評估審查委員會會議時，會變成「為保護潟湖、沙洲，開發工程或計畫應儘量採取適當設施或技術替代方式，其開發使用潟湖、沙洲之比例，應降至百分之三十以下，且應提出具體計畫，以保護其他未使用之潟湖、沙洲。」前者的意思是「不要使用潟湖與沙洲」，而後者是「可以使用但必須降低到百分之三十以下」，兩者差異是很大的，也怪不得大家都把箭頭指向當時主持會議的環保署長張隆盛。

看似無關的結論，卻成為後頭爭議不休的焦點。

Act One,
Scene Four

環評挫敗 蹲下再起

1996~1997

調整步伐　切入文史生態

　　1996年5月，在第一階段環評挫敗後，蘇煥智找我討論如何實踐「七股濕地永續利用發展方案」的替代方案，以及如何將台南地區豐富的文化、地理變遷史呈現出來，讓更多的人對自己的故鄉多一層了解。雖然這些調整步伐的動作，不免被聯想到與蘇煥智的基層政治經營有關，但不能否認的，如此有心關懷鄉土人文與生態的政治人物真的不多了……

◎規劃休閒漁業　辦研討會

　　首先，1996年6月1日，在台南縣區漁會舉辦了「觀光休閒漁業規劃與發展研討會」，邀請行政院農業委員會（以下簡稱農委會）林梓聯技正、海洋大學廖聖惠教授、逢甲大學李素馨教授與宜蘭香格里拉休閒農場老闆張清來先生，分別以「觀光渡假漁業的構想與實施」、「促進台灣休閒漁業的發展」、「休閒農漁業的規劃與設計」與「休閒農漁業的經營管理和行銷實務」為題，向80餘位農漁民代表介紹發展觀光休閒農漁業的意義，以及如何進行農漁業資源的整合規劃與利用。

　　看到休閒農漁業在最近幾年成為當紅的話題，就不免想起當時把這些理念介紹給當地農漁民時，他們還自我嘲笑地說：「我們早就是休閒農漁業了，而且還是做一天，休息好幾天的行業」。

◎宣揚濕地保育　培訓師資

　　緊接在研討會後，為了向外介紹七股地區豐富的生態資源，推廣濕地保育的觀念，以及培養種子解說員，我們進一步籌劃了「自然生態解說師資培訓營」。

　　1996年6月4日起，一連舉辦四週的師資培訓營邀請王家祥先生、吳錦發先生、林明男博士、郭東輝先生、黃徙先生、翁義聰老師、郭忠誠先生、黃景福先生、周連勝先生等分別以「自然公園的實踐」、「濕地國家公園的省思」、「七股地區養殖漁業的現況與展望」、「曾文溪的飛羽之美」、「台江紅樹林生死戀」、「台南縣海岸濕地自然資源」與「七股濕地國家公園與風景特定區的考量」為題，為50多位來自社會各領域的學員，講解濕地生態的觀念與實踐。

　　自然生態解說師資的培訓計畫不只是師資的養成工作，更是體驗自然生態珍貴性的傳承工作。當前生態保育觀念的推廣與落實逐漸獲得社會共識，對於早期一步一腳印的苦行僧而言，也算是一種安慰了！

◎廣邀社會人士　認識鄉里

　　除了產業、生態外，為了讓更多人瞭解自己生長的地方，認識這塊蘊育著全世界最具蓬勃生命力的土地，我們也規劃了一場文史尋根的饗宴──「鯤瀛文史研習營」。

　　研習營於1996年7月13日開幕，為期五天，在台南縣南鯤鯓代天府登場，參加人數超過120位。除了邀請文史領域聲譽卓著的學者，包括張勝

彥、詹素娟、石萬壽、溫振華、張炎憲、林俊全、劉益昌、蔡長興、呂
興昌、施炳華、呂錘寬、李乾朗、邱坤良等教授，分別從文化、地理、
語言、宗教、藝術等方面切入講授南台灣從史前時代到日治時期的歷史
變遷與發展外，為了讓學員親身體會時空交融的感受，特別以時間演進
為主軸，安排了一天的田野巡訪，親自走訪故事發生的地點，以解讀台
南地區土地形成和人類活動的過程。7月15日當天，在台灣大學吳密察教
授與藝術學院蘇守政教授領隊下，敦請劉益昌教授、林俊全教授、水產
試驗所林明男博士、台鹽張紀莊場長、黃徙先生、麻豆王清洲老師、台
南鳥會及中華民國濕地聯盟等學者專家隨行解說，巡訪行程包括茱寮溪
河床、光榮國小化石館、烏山頭分水站、番仔田廟（復興宮）、西寮遺
址、水堀頭、尪祖廟（阿立祖廟）、金唐殿、立長宮以及七股濕地。

　　當時，因為這個研習營的激勵，來自麻豆的學員黃服賜老師等人隨即
在結訓典禮中宣佈成立麻豆文史工作室，並在結訓日當日下午三點召開
籌備會，展開麻豆地區文史尋根的工作。

台北嗆聲　向當權發怒吼

　　1996年6月23日，包括經濟日報、聯合報、工商時報、中國時報等平
面媒體都出現「東帝士七輕　燁隆大煉鋼廠　兩大投資案可望半年內動
工」、「王志剛樂觀預測濱南工業區半年內動工」等標題。內容指出：經
濟部部長王志剛6月22日在聽取工業局長尹啟銘報告後指出，在經濟部主
動介入下，東帝士公司計畫興建的七輕、燁隆鋼鐵公司籌建的大煉鋼廠

二項重大投資案，可望在半年內動工興建，有效提振國內投資意願。

對於正在調整步伐的我們，無異潑了一盆冷水！

依據程序正義原則，半年內要讓濱南案動工是不可能達成的任務，但蘇煥智卻不這樣認為，他當下判斷這是警訊，是政府想要強渡關山的表態，如果不拿出積極的作為，就算半年內無法動工，動工興建的日期也不會太遠！

當時，我並不以為然，一方面是考量當時的政經環境與社會認知，二方面是考量在一個相對落後的地方，用激烈的方式去反對一個「一般人認為會帶來繁榮、引進就業機會」的大型開發計畫是否有機會成功？特別是在宣傳管道不足的情況下，更是容易遭到抹黑！

所以，我勸蘇煥智「差不多就好」，以後再說吧！

但執著的蘇煥智還是號召各地後援會的幹部，宣布了「苦行」的決心，最後連我也被說服了，一起參如這趟南瀛苦行！

7月26日，葛樂禮颱風登陸南台灣，在風雨稍歇之際，趁天色還亮，蘇煥智邀我一起出去了解災情，最後到了七股龍山宮（當時還在整修中）前暫厝池王爺的鐵皮屋，碰到幾位年長的鄉親，七嘴八舌地談起濱南案，又說到龍山宮池王爺顯靈照顧漁民的種種神蹟。最後，在群起呼應下，大夥兒就燒了一炷香，一起祈求池王爺保佑「反濱南運動」成功！

到現在，我仍清楚記得，當時在昏暗的鐵皮屋裡，負責將香插入香爐的長者突然高喊：「有感應啦，大家來看池王爺的帽穗在動！」的那一幕。

2005年11月底，我與蘇煥智到龍山拜訪，當天在場的鄉親還重提十年前的這樁舊事！

◎寫信給李總統　爭取認同

在經濟部長的刺激下，大家動起來了！

首先由濕地保護聯盟、高雄綠色協會、成功大學環保社、經緯社等南部環保團體與學生社團發起「一人一信反濱南工業區」活動，寫信給李登輝總統、經濟部王志剛部長、台南縣陳唐山縣長，請他們出面停止濱南案。

消息指出，信都已經收到了！但是消息來源卻沒有進一步表示，信件是如何處理。

◎大專學生幫忙　進駐七股

↑1996年7月台南火車站前舉辦一人一信反濱南工業區連署活動。
提供／愛鄉文教基金會

大專學生也不落人後，紛紛前來關心這塊溼地，了解七股沿海漁民對於濱南案的反應。最先站出來的，當然是距離最近的成功大學學生。

1996年7月上旬，由成大經緯社與環保社楊江瑛、彭昶偉等同學所組成的成大學生工作隊20餘人，進駐青鯤鯓朝天宮。除了深入各村落訪調當地風土民情外，也對當地的學童

↑1996年9月成大學生舉辦反濱南開發案連署活動。
提供／中時報系

進行課業輔導服務。

　　成大學生工作隊成員經過一個多月的體驗，毅然投入南瀛苦行，並在苦行隊伍中一馬當先，擔任最艱苦的文宣發放工作；而後再將他們的體認，介紹給北部各大專院校社團組成的「北部學生反濱南行動聯盟」，並一起參加「1004全國反濱南護水愛鄉聯合大請願行動」。

　　成大學生工作隊的經驗傳承了下來，1997年暑假一開始，又有一批學生進駐七股。這些學生不再只是來自成大，還包括台灣大學、中興大學、東海大學、世界新聞傳播學院（世新大學）等。北部的環保團體也派人南下表示關心與慰問！

　　後來，這些關心濱南案的北部各大專院校社團組成了「北部學生反濱南行動聯盟」，發表校園行動計畫與說帖，加入「反濱南護水愛鄉行動聯盟」，並在「1004全國反濱南護水愛鄉聯合大請願行動」當天演出行動劇，並由政大修曼尼斯社林㦤君與世新邊緣地帶社林俞君等上台發表學生聯盟宣言，強調學生們對惡質金權文化的不滿，並表達下一代拒絕承受惡質金權文化不公平後遺症的立場。

◎愛鄉護水聯盟　付諸行動

　　南台灣環保團體為了捍衛南台灣的水資源，也決定籌組愛鄉護水聯盟，呼籲社會重視濱南案高耗水產業衝擊南台灣水資源的危機。

　　1996年8月9日，包括高雄市綠色協會、保護高屏溪綠色聯盟、高雄市野鳥學會、高雄縣美濃愛鄉協進會、新希望文教基金會、屏東縣藍色東港溪保育協會、保護隘寮溪自救聯盟委員會、反瑪家水庫自救會等40個綠色團體與各級民意代表服務處在高雄市宣佈成立「愛鄉護水拯救南台灣水資源行動聯盟」，把幾年來在高雄、屏東、台南各地風起雲湧的愛鄉護水運動結合在一起。成立大會由高雄市綠色協會曾貴海、美濃愛鄉協進會鍾秀梅、屏東藍色東港溪保育協會周克任等共同主持，與會者除了呼籲社會重視濱南工業區高耗水產業將掠走市民飲用水源的危機性，並共同發表成立聲明，簽署城市護水公約，要求立刻停止荖濃溪越域引水計畫，中止美濃與瑪家水庫的興建計畫。

　　這股結盟的力量終於把南台灣水資源問題的整體性與嚴重性烘托出來，也為南台灣的水資源保衛戰，凝聚更多、更大的力量！

◎愛鄉土反七輕　南瀛苦行

　　1996年8月11日上午七時，「愛鄉土・反七輕・南瀛苦行」在歷經一個多月的籌備後，終於啟程，歷時八天七夜，沿途經過22個鄉鎮市，全程總計200公里。

　　8月11日：佳里鎮蘇煥智服務處→西港鄉慶安宮→安定鄉中寮→善化鎮

蘇厝眞護宮（午）→新市鄉新市國小（宿）。

8月12日：新市鄉新市國小→永康交流道→永康市大橋國小（午）→台南高農→大灣廣護宮→仁德鄉一甲忠義宮（宿）。

8月13日：仁德鄉一甲忠義宮→歸仁鄉三星五金公司→大亞電纜公司→關廟鄉山西宮（午）→新化鎮文化中心（宿）。

8月14日：新化鎮文化中心→山上鄉南洲開靈宮（午）→北勢溪橋→官田鄉復興宮（宿）。

8月15日：官田鄉復興宮→六甲鄉二鎮護安宮→中社村社區中心（午）→柳營鄉龜仔港→代天院（宿）。

8月16日：柳營鄉代天院→新營市縣政府廣場宣言→鹽水鎮五間厝朝隆宮（午）→下營鄉甲中村紅毛厝→麻豆鎮代天府（宿）。

8月17日：麻豆鎮代天府→學甲鎮美和里→將軍鄉苓仔寮保濟宮（午）→佳里鎮佳里興震興宮→蘇煥智服務處→七股鄉龍山村（宿）。

8月18日：七股鄉龍山村→潟湖畔祭典。

【落髮以明志】

　　8月11日一大早，來自各地的四、五百名鄉親朋友在完成簡單的祭拜祈福儀式後，由蘇煥智的大姐蘇金瓜含著淚水，在關聖帝君及參與苦行的鄉親前為蘇煥智動剪落髮。在蘇煥智的落髮宣誓後，苦行隊伍在省議員鄭國忠宣佈苦行準則、仔細叮嚀注意事項後，隊伍成雙列依序出發，踏上了八天七夜200公里的苦行路程。

　　在苦行的第一天，長期推動核四公投、並為反核四而千里苦行的林義

1996年8月11日南瀛苦行隊伍踏上第一天行程。提供／中時報系

雄律師與核四公投促進會代表特地南下打氣，並陪著苦行隊伍走了半天的路程。而核四公投促進會的義工朋友們，竟然就這樣留下來，從頭到尾走完全程！

【通伯的背影】

在苦行的隊伍中，有一位值得特別記載的長者——通伯，陳文通先生。

沒有人可以正確說出「他」老人家是在什麼時候加入苦行的隊伍，有人說第一天中午進入善化蘇厝真護宮午餐休息的時候，就已經看到他坐在廟口等候苦行隊伍，也有人說他在當天午後，往新市的路上就加入隊伍。

第二天，苦行隊伍進入仁德鄉後，夜宿仁德一甲忠義宮香客房。由於天氣燠熱，很多人在又累又熱之下幾乎無法入睡，好不容易等到凌晨天候稍涼可以入眠時，竟然有一個人爬起來打開收音機，且在香客房進進出出，過了一會兒，或許他看不到有動靜，竟然把睡在地板的伙伴都叫了起來，說「天亮可以出發了」！天啊，才凌晨兩點！

他，就是通伯，陳文通先生，台南縣善化人，1923年6月14日出生，一個熱愛民主、熱愛鄉土的老者。他以七十幾歲的高齡，身體中風不良於行，卻風雨無阻一路跟著苦行隊伍一步一腳印地往前走，他一路不落人後，還一邊撿拾路旁的瓶瓶罐罐。這位可敬的老者，卻帶著大家的懷念，在1997年1月16日離開人間，遺體在1月26日火化，骨灰安放在台南縣善化鎮示範公墓。所有懷念他的後輩在3月1日為他舉辦了一場追思會。

【縣府前宣言】

台南縣政府對於濱南案的態度始終曖昧，為了表達不滿，苦行隊伍於8月16日（星期五）上午九時，進入台南縣政府廣場前靜坐。雖然陳唐山縣長出面表示他了解大家的用心，並且贈送了水果、飲料及毛巾，卻被苦行隊伍所婉拒。家住七股鄉三股村的黃登驁，更是語帶哽咽地表達他對陳縣長的期許與失望，而前來聲援的成大教授團黃銘欽、李輝煌、鄭靜等人則當場宣讀了「愛鄉土・反七輕」宣言。

苦行隊伍在高喊「愛鄉土」、「反七輕」後，帶著無法釋懷的心情離開了台南縣政府。

↑1996年8月16日南瀛苦行隊伍抵達台南縣政府。提供／愛鄉文教基金會

↑1996年8月17日南瀛苦行隊伍進入七股龍山村。提供／愛鄉文教基金會

↑1996年8月17日南瀛苦行隊伍進入七股龍山村。提供／愛鄉文教基金會

【火把照潟湖】

　　8月17日（星期六）入夜，苦行隊伍進入七股後，原本規劃了點燃火把行動，期以引導國人認識這塊至今仍保持相當完整的天然海岸濕地，但這樣溫馨的構想竟然被贊成濱南案的一方曲解成一種挑釁行為，並放話要以汽油彈及鋤頭柄伺候。為了避免不必要的衝突，僅象徵性地由蘇煥智點燃一支火把，引導隊伍進入龍山村。

　　原本擔心會有衝突的場面，卻變成夾道歡迎的鞭炮聲與漫天的煙灰。

【潟湖祈安禮】

　　苦行最後一天，也是最後一個程序，我們安排前往潟湖舉行祈安典禮，藉以感念祖先賜予這塊美麗的土地，也向祖先表達這一代的子孫，在捍衛這塊土地的過程中所付出的努力。

8月18日（星期日）上午七時，苦行隊伍由龍山村沿著陸路出發，另一支由青鯤鯓村漁民所組成的船隊，則從海路會同。兩路隊伍在十時左右抵達水產試驗所前的潟湖湖畔，舉行「祈禱山川神靈暨開台

↑1996年8月18日在七股潟湖舉行祈安儀式。提供／愛鄉文教基金會

祖先祈安典禮」。祈安典禮由陳信雄先生主持，在蘇煥智主祭，省議員鄭國忠、曹啓鴻、國大代表侯水盛、黃偉哲、黃昭凱、賴清德、劉俊秀、鍾淑姬、台南市議員林易煌、核四公投促進會、台灣教授協會、關懷生命協會、主婦聯盟、成大學生七股工作隊、美濃愛鄉協進會、藍色東港溪保育協會、高雄市綠色協會、台灣環境保護聯盟、生態保育聯盟、濕地保護聯盟、台灣海岸保護協會、屏東護水青年軍、屏東水門社區發展

←1996年8月18日在七股潟湖舉行祈安儀式。
提供／中時報系

協會等代表與四、五百位鄉親陪祭下，於香煙裊裊中，祈禱山川神靈暨開台祖先能幫忙達成捍衛鄉土的心願；而後，在與祭來賓上台發表感言，以及台南愛樂合唱團黃南海博士夫婦帶領大家合唱「牛犁車」與「菅芒花」歌聲中，八天七夜的南瀛苦行終於畫下完美的句點。

八日七夜200公里的苦行對大多數人而言，是體力與毅力的嚴格考驗。特別是酷熱的南台灣八月天，除了頭頂著炙熱的陽光，腳踏著高溫的柏油路面外，還得面對隨時撲面而來的午後雷陣雨……任由汗水、雨水濕透了衣服，又讓高溫下的熱風烘乾；腳皮磨出了泡，戳破了皮流出了膿，尚未結痂又起了另一個水泡……

漫長辛苦的行程中，有太多太多的人投入，有遠道而來的各社團代表，有沿途加入的鄉親，或全程參與，或陪著走上一天、半天或一段路程。一路上提供茶水飲料的朋友，更把補給車塞得滿滿的。這些朋友我們沒有辦法一一記載，但我們相信，日月可鑑，熱愛台灣這塊土地的人民會感激您的付出。

每次回憶起這段歷程，還是不免要淚水盈眶……

蘇煥智剃光頭苦行的這一幕，也成為他「註冊商標」的一部分！

◎五千鄉親北上　聯合請願

緊跟在八天七夜「愛鄉土・反七輕・南瀛苦行」之後，蘇煥智又在1996年8月20日開發單位召開的「濱南工業區開發計畫石化綜合廠、精緻一貫作業鋼廠暨工業專用港替代方案環境影響說明書說明會」會場外，公開宣佈將在十月間動員五千位以上的鄉親朋友北上抗議。

↑ 1996年10月4日1004全國反濱南護水愛鄉聯合大請願（立法院前）。提供／愛鄉文教基金會

　　1996年9月21日，由蘇煥智發起，各環保團體、社會團體、學生團體
與各級公職人員串連而成的「反濱南護水愛鄉行動聯盟」在立法院第一
會議室召開記者會，由台灣教授協會會長張國龍、環保聯盟會長施信
民、立法委員蘇煥智、柯建銘、巴燕達魯、陳文輝、內埔鄉鄉長沈商
嶽、藍色東港溪保育協會周克任、高雄美濃愛鄉協進會張高傑、七股海
岸保護協會陳家旺、將軍鄉鯤鯓村村長王燕宗、反七輕反大煉鋼廠行動
委員會召集人陳朝來，以及北部學生反濱南行動聯盟代表共同主持，公
佈加盟團體名單與說帖，並宣佈「1004全國反濱南護水愛鄉聯合大請願」
計畫。

　　10月4日一大早，超過100輛的大型遊覽車，載著超過5,000位以上來自
屏東縣、高雄縣市、台南縣市及各結盟單位的鄉親朋友，一輛一輛駛進

↑1996年10月4日1004全國反濱南護水愛鄉聯合大請願（總統府前）。提供／聯合報系

了台北街頭。這些鄉親朋友長途跋涉花了至少五個小時的車程，有人凌晨出發，還有人因為住在山裡頭，前一夜就得動身到集合處等待。

上午十時左右，所有參與請願活動的鄉親朋友在立法院門前完成報到，並推派代表進入立法院第一會議室參加協調會。立法院門口則由總指揮立法委員簡錫堦，副總指揮省議員鄭國忠、曹啓鴻主持，各團體代表與聲援的公職人員也輪流登上指揮車表達他們的訴求與不滿。

十一時左右，立法院第一會議室內協調破裂，由參與協調的立法委員洪奇昌出來向鄉親報告協調過程，並宣佈決策小組將隊伍帶往行政院抗議的決定。

十一時三十分，所有請願的鄉親朋友轉到行政院門口，與門口層層警衛形成對峙，並推派代表進入行政院表達意見。經過長達兩個小時的等

候，抗議代表才由秘書長趙守博陪同步出行政院。在鄉親要求下，趙秘書長也登上指揮車表述行政院的立場，卻不爲鄉親朋友所接受。

下午三時三十分，在不滿行政院的敷衍態度下，決策小組決定再將隊伍帶往總統府；四時許，超過5,000人的隊伍抵達凱達格蘭大道，鄉親們在總統府前面對著鐵刺網、盾牌、一層又一層的保警、鎮暴部隊，以及伺候在旁的鎮暴噴水車，發聲怒吼。

我們不曉得他老人家聽到了沒有？

當天，中時晚報頭版刊出一張請願活動的照片，標題寫著：「數百名反七輕、反濱南及反對興建瑪家水庫的民眾，上午齊集立法院前，大張旗鼓抗議。」數千人與數百人眞的只差一個字？

◎反濱南說明會　凝聚共識

繼1994年10月由「濕地國家公園／高科技工業園區促進會」巡迴七股鄉各村落舉辦的十一場反七輕說明會後，蘇煥智爲了讓縣內更多鄉親了解高污染、高耗水的濱南案對台南縣農業用水的影響，以及對南科的排擠效應，並配合「1004全國反濱南護水愛鄉聯合大請願」的動員準備，自1996年9月3日起舉辦了31場反濱南說明會：9月3日在七股鄉篤加村、9月4日在將軍鄉馬沙溝與青鯤鯓、9月6日在七股鄉頂山村、9月7日在西港鄉慶安宮、9月8日在佳里鎮子良廟與佳里興、9月13日在七股鄉中寮與大寮、9月14日在北門鄉北門與蚵寮、9月20日在將軍鄉玉山村與將富村、9月21日在西港鄉劉厝與大竹林、9月22日在學甲鎮中洲與慈濟宮、9月26日在七股鄉樹林村、11月1日在安定鄉管寮、11月2日在善化鎮六分寮與

胡厝寮、11月3日在新市鄉大社、11月8日在麻豆鎮與官田鄉東西庄、11月9日在中營、11月10日在柳營果毅後與小腳腿、11月16日在六甲鄉與官田鄉、11月18日在新營市土庫里與新港東東興宮。

前前後後超過40場的說明會，從海邊，講到山邊；從對生態的破壞、空氣的污染，談到水資源的被掠奪與農田的休耕拋荒；從資金與土地的不公，談到產業政策的錯誤。到底喚醒了多少人？我們也不知道，但我們相信我們確實盡了心，也盡了力。

有人問我們，為什麼不刊登廣告？可是錢哪裡來？刊廣告、文宣就一定有效嗎？我想，如果刊個廣告或靠文宣就有效的話，一切就不用這麼辛苦了！

暴力威脅　大眾不再沉默

自1994年起，反對濱南案的朋友試著以各種柔性手段，傳達對主政當局犧牲社會公平與正義的不滿，過程中，因為不斷遭受到暴力的威脅與恫嚇，多數的當地鄉民個個噤若寒蟬，成為沒有聲音的一群，以致於讓外界以為當地贊成濱南案的人佔有絕對的多數。

1996年8月17日，當苦行隊伍經過七股海產街轉入龍山村，以及8月18日由龍山村前往潟湖的路上，出現了令人鼓舞的變化。

我們看到沉默的大眾勇敢地站了出來，除了夾道燃放鞭炮外，也紛紛加入了苦行的行列。

這股激盪的熱情，終於蘊育出當地自主性的團體，除了表明反對濱南

↑1996年9月22日台南縣市反濱南開發案的社團、民眾舉行「愛台南、反濱南」遊行。提供／中時報系

↑家旺伯夫妻。家旺伯在2006年3月11日過世。提供／愛鄉文教基金會

案的立場外，也開始結合七股沿海豐富的生態資源，展開推動成立國家風景區的行動。

1996年9月22日，七股龍山村的漁民成立「七股海岸保護協會」，由蔡金祥擔任會長，陳家旺擔任總幹事。

1996年10月1日，將軍鄉青鯤鯓的漁民成立「青鯤鯓反污染抗爭委員會」，由周清波擔任會長，王燕宗擔任副會長。

1996年10月25日，三股村、十分村的村民成立「七股潟湖國家風景區

促進會」，由黃福興擔任會長，黃登騫擔任總幹事。

　　土生土長的蔡金祥、陳家旺與王燕宗不管是在環保署的會議上，或在接受媒體採訪時，都一再強調：七股潟湖與沿海一帶，是七股鄉與青鯤鯓漁民賴以維生的海田，也是祖先所遺留下來、賜給我們的自然資產。要我們只為一時的補償或回饋，眼睜睜地看著它在眼前消失，是絕對不可能的！因為這除了關係到生存的權利，也關係著香火傳承的使命，我們不願成為歷史的罪人。

◎赤嘴園開幕了　遊客不斷

　　1997年7月20日，由愛鄉文教基金會、七股潟湖國家風景區促進會、七股海岸保護協會與愛鄉廣播電台所籌辦的「七股潟湖觀光赤嘴園」在水產試驗所前潟湖湖畔揭幕，吸引了超過3,000多位來自屏東、高雄、

↑1997年7月20日愛鄉文教基金會等籌辦的七股潟湖觀光赤嘴園揭幕。提供／愛鄉文教基金會

台南縣市各地的鄉親，以及遠從台北來的主婦聯盟的朋友。現場除了有七股潟湖解說牌及七股潟湖資源永續公約牌的揭幕儀式外，也宣讀了七股潟湖資源永續公約，並舉辦綠化植樹、下水體驗潦水挖赤嘴、學術研討會、七股潟湖生態景觀攝影展、兒童寫生比賽、品嚐鮮蠔、蟳仔、鹽水吳郭魚及虱目魚等活動。

　　七股潟湖觀光赤嘴園開幕後，每逢假日，總有超過千人次、甚至二千

人次以上的遊客前來。這樣的反應，已是出乎預料之外，雖然當時因為經費不足，設施在那年冬天就被強烈的季風給吹壞了，但也算是起了個頭。

2003年12月24日，交通部觀光局轄屬第12個國家風景區——雲嘉南濱海國家風景區正式掛牌成立，這裡自然成為風景區的一部分，也是乘坐遊湖竹筏的重要據點。

◎保育黑面琵鷺　民間扎根

1997年10月5日，由台南市環保聯盟、愛鄉文教基金會、台南市野鳥學會、七股海岸保護協會、中華民國濕地保護聯盟與七股潟湖國家風景區促進會等團體共同發起，在七股鄉十份村成立了「國際黑面琵鷺保育中心」。

↑1997年10月5日國際黑面琵鷺保育中心成立。
提供／愛鄉文教基金會

民間的腳步總是走在政府前面，這個以「學術研究、解說教育以及生態活動方法，進行黑面琵鷺生態研究、保護黑面琵鷺棲息地，進而教育民眾養成生態保育觀念」為宗旨的國際黑面琵鷺保育中心的成立，為黑面琵鷺的保育工作樹立了一個新的里程碑！

◎救援黑面琵鷺　國際聯盟

　　1997年10月31日，由中央研究院院長李遠哲博士擔任榮譽召集人，國內生態環境教育、規劃及經濟學者夏鑄九、劉可強、於幼華、劉小如、駱尚廉等教授發起，並結合美國Sierra Club前召集人David Brower、柏克萊大學教授Randy Hester等人所組成的「國際黑面琵鷺救援聯盟」（Spoonbill Action Voluntary Echo-SAVE），在台大校門口宣佈成立。除了宣佈「提昇黑面琵鷺的社會關懷度」、「建立國際性學術交流管道與相關性的生態資料庫」及「擬定生態永續利用的地方經濟發展藍圖」等近、中、遠程目標外，並針對濱南工業區開發計畫的環境影響評估提出總體檢報告。

　　成立大會中，台大城鄉所學生會與台灣大學台南一中校友會合辦的「黑琵台灣園遊會」與「黑面琵鷺拼裝彩繪大賽」同步展開，義賣T恤、紋身貼紙、海報和徽章，而著名歌手陳昇先生贊助創作的「黑面鴨、要報仇」也錄製成單曲CD，協助救援聯盟募集活動經費。在DHL的贊助下，美國柏克萊大學師生利用廢棄物製作的20隻黑面琵鷺模型，也空運到現場來展示。

◎德不孤必有鄰　熱情湧現

　　所謂「德不孤，必有鄰」，各界的關心與投入湧入七股，使得七股地區活絡了起來，讓當地鄉民體會到除了污染的工廠外，如果有機會，或者

有計畫地把當地的產業與生態資源結合，也是可以帶來繁榮的。這些關心與投入，包括了TVBS、衛視中文台、台灣電視公司、傳訊電視、中國電視公司及報章雜誌的專題報導，成大師生的進駐服務，台大建築及城鄉研究所的休閒漁業規劃與研究，國外教授專家的不時來訪，以及分別由高雄與台北引領朋友去關心七股潟湖的陳坤生先生和山水客吳智慶先生。

→1997年10月31日國際黑面琵鷺救援聯盟成立。
提供／愛鄉文教基金會

↓1998年11月1日珍古德博士參觀七股黑面琵鷺棲息地。
提供／愛鄉文教基金會

第二幕・Act Two

'2000

Act Two,
Scene One

一階環評 準備開戰

1996~1997

業者辦說明會　氣氛緊張

　　1996年6月5日，環保署依《環境影響評估法》第七條規定公告濱南案的環境影響說明書審查結論，並通知工業局。

　　1996年8月20日上午，開發單位依《環境影響評估法》第八條規定，在七股鄉昭明國中舉行「濱南工業區開發計畫石化綜合廠、精緻一貫作業鋼廠暨工業專用港替代方案環境影響說明書說明會」。由於說明會的舉辦日期，緊跟在八天七夜的「愛鄉土‧反七輕‧南瀛苦行」之後，稍早前，贊成濱南案的「大七股地區整體規劃與開發住民權益促進會」頻頻放話要抵制南瀛苦行，使得這場在南瀛苦行之後舉行的說明會變得十分詭異，加上警方人馬的大調動，爲這場說明會增添幾許緊張氣氛。

↑1996年8月20日開發單位在七股昭明國中舉辦環境影響說明書說明會
（場外）。提供 / 中時報系

↑1996年8月20日開發單位在七股昭明國中舉辦環境影響說明書說明會
（場內）。提供／中時報系

　　說明會場內外，反對與贊成的雙方人馬相互較勁，反對的一方頻頻向贊成者喊話，要求贊成者脫下黃色帽子加入反對陣容（當天贊成者係以戴黃色帽子作為識別），形成氣勢上的強烈對比。

　　說明會還沒開始，反對濱南案的一方就對說明會主持人的適當性提出質疑，並要求撤換主持人，但因官方代表在簽到後刻意迴避而得不到合理回應，引起反對者的不滿，並以反七輕口號表達抗議。無奈在主持人強烈主導下，還是程序性地讓開發單位完成說明，並且在後續的自由發言中，以「省及中央民意代表，應多聽基層的聲音」為由，透過麥克風的管制，拒絕讓蘇煥智發言。蘇煥智在苦候多時仍無法發言下，憤而離開會場登上停放在校門口的宣傳車發聲，宣佈將在十月間動員五千位以上的鄉親朋友北上抗議。

會場內也在主持人的刻意主導下，「突然」結束這場說明會！

針對這場說明會程序正義上的瑕疵，濕地保護聯盟於1996年10月1日正式行文環保署要求重新召開說明會；而蘇煥智等也於10月8日到監察院陳情，並要求彈劾環保署署長。

評估範疇界定　無功而返

依據《環境影響評估法》第十條規定，環保署應於公開說明會後邀集目的事業主管機關、相關機關、團體、學者、專家及居民代表界定評估範疇，而範疇界定的事項則包括「確認可行之替代方案」、「確認應進行環境影響評估之項目；決定調查、預測、分析及評定之方法」與「其他有關執行環境影響評估作業之事項」，也就是說，範疇界定會議的目的是要確認第二階段環境影響評估的環境類別、環境項目、環境因子、需要資料、評估項目、評估範圍、調查時間、調查頻率、調查起訖時間。

由於評估範疇的界定攸關開發單位後續進行環境影響評估的成本，並連帶影響環境影響評估報告書的提出時程，對開發單位而言，勢必堅守城池，不讓反濱南陣營有機可乘，逾越雷池半步。

1996年8月20日的公開說明會後，環保署隨即於10月11日召開「濱南工業區範疇界定第一次會議」，1996年11月11日召開第二次，1997年2月14日第三次，2月22日第四次，3月5日第五次。

五次的範疇界定會議下來，最後把結論彙整成《濱南工業區開發計畫——石化綜合廠、精緻一貫作業鋼廠與工業專用港替代方案環境影響評

估範疇界定指引表》。裡頭記載著要評估的環境類別、環境項目、環境因子、需要資料、評估項目、評估範圍、調查時間、調查頻率、調查起訖時間等。

範疇界定會議期間，除了在第二次會議中針對替代方案作成下列結論外，所有的發言與環境影響說明書審查階段，沒有太大的差別：

1. 有關石化廠、鋼鐵廠、專用港分開不同區位設置（如移至彰濱工業區、離島工業區等）或作適當切割與規模調整之替代方案，請開發單位列入評估，並請經濟部負責協調處理。另專用港是否可以其他漁港替代之可行性，應加以評估。

2. 西濱公路以東地區之使用，開發單位應在一個月內與台南縣政府、台南縣議會、七股鄉公所、七股鄉民代表會及有關村、里協調，並在當地民意可接受下，始得列入開發範圍，且僅得作為行政區、宿舍、綠地等使用。若否，則不得列入開發範圍。

3. 有關潟湖、沙洲之使用比率，百分之三十以內之各方案，均列為可行之替代方案，並應就生態、水利、漁業、社會、經濟等有關事項列入評比。且計畫區北方應有緩衝帶綠帶設置。

雖然反濱南陣營企圖透過單點突破，對於部分評估項目、評估範圍與調查時間提出較高標準的要求，最後都在會議主持人「無爭議先確認，有爭議暫擱置」的技巧性處理下，不了了之，也就是最後確定的評估範疇幾乎都回歸到原點，也無怪乎開發單位可以在第五次「範疇界定會議」後不到四個月的時間，就完成環境影響評估報告書（初稿）的編製。

這種看來是可以討價還價的機制，其實只是個假象。

賠償回饋座談　草草結束

第二階段環境影響評估範疇界定後不久，開發單位即依《環境影響評估法》第十一條規定，於1997年6月23日將編製的《濱南工業區開發計畫石化綜合廠、精緻一貫作業鋼廠暨工業專用港替代方案環境影響評估報告書（初稿）》送交經濟部工業局。

↑1997年7月26日開發單位在七股昭明國中舉辦漁業賠償、回饋方案與隔離帶規劃座談會，在爭吵聲中草草結束。
提供／中時報系

經濟部工業局在收到開發單位環評報告書初稿後，就排定1997年7月15日、7月16日舉辦「濱南工業區開發計畫現場勘察與聽證會」，惟在發出開會通知後又發函取消。據媒體報導，取消的原因是開發單位提出的環評報告書，對於範疇界定要求的部分事項仍需要再補件，特別是開發業者提出的「地方協調溝通說明會」資料不全。

或許真的是開發單位「地方協調溝通說明會」資料不全的緣故，開發單位終於在1997年7月26日到七股鄉昭明國中舉辦「漁業賠償、回饋方案與隔離帶規劃座談會」。由於七股與青鯤鯓的漁民堅稱開發單位並未到各個村落辦理說明會，反對草率召開大型座談會，加上商業周刊的一篇報導，加深雙方人馬的爭執，座談會進行不到半小時就草草收場，並要求開發單位必須到台17線公路以西各村落辦理說明會，與當地漁民談妥回饋條件後，才能正式召開大型座談會。

1997年12月8日經濟部辦理濱南案現勘,反濱南人士靜坐與警方對峙。提供／聯合報系

開發現場勘查　引爆衝突

　　原訂7月15、16日舉行的濱南工業區開發計畫現場勘察與聽證會,終於在縣市長選舉後的12月8、9日舉行。依照過去地方說明會與回饋座談會的經驗來看,雙方陣營的較勁與衝突,主管機關與開發單位的如禮行儀,現勘與聽證會的場景與結果應該不會有太大的差別,但實際的情況卻與過去幾次不太一樣——或許因為現勘與聽證會的主辦單位為經濟部工業局的關係。

　　12月8日中午過後,現勘行程的集合地點(七股鄉公所)就被一層又一層的保安警察包圍,盾牌與警棍的陣仗就如大敵當前。午後二點不到,

由工業局第五組組長領隊的現勘人員準備離開鄉公所時，就被反濱南陣營的民眾團團圍住，並爆發激烈流血衝突，最後在鎮暴警力的強制戒護與開道下，官員們才得以順利前往預定開發地區勘查。而尾隨追趕的反濱南陣營，則因現場道路複雜，加上難以掌握官員的行程，最後只好集結在開發地區北側的青鯤鯓附近，直到天色漸暗才離去，並相約隔天出席聽證會。

有了前一天的衝突，12月9日上午在昭明國中舉辦的聽證會自然格外引人注目，而警方也因此加強場內外的部署，並以優勢警力當作人牆分隔雙方人馬，避免再有衝突發生。而聽證會也在雙方輪番發言、揮舞旗幟與高呼口號中結束！

雖然「沒有交集」，但經濟部工業局已依法、且如禮行儀地完成《環境影響評估法》第十三條規定的程序。

12月9日，聯合報在頭版頭刊出斗大的「反濱南抗爭　爆發流血衝突　數百居民包圍勘查官員座車　警方開道雙方棍棒相向　廿餘人受傷」標題（1997-12-09／聯合報／01版），而當天的聯合晚報也以「最後一滴血何時結束？」作為社論的標題（1997-12-09／聯合晚報／02版）。

這是濱南案第一次登上全國版面的頭版，遺憾地，這是流血衝突下的代價。

1997年12月8日經濟部辦理濱南案現勘，反濱南人士靜坐與警方對峙。提供／中時報系

Act Two,

Scene Two

能源與水 議題發酵

1997~1998

濱南案的「高耗能」與「高耗水」兩大議題，在「氣候變化綱要公約」第三次締約國大會召開前夕及行政院蕭萬長院長動怒後，終於躍上檯面。

主動出擊　獲得重視

在濱南案第二階段環評審查過程中，拜聯合國「氣候變化綱要公約」之賜，讓濱南案「高耗能」、「高二氧化碳（CO_2）排放量」的議題躍上檯面，間接促成了「全國能源會議」的召開。

濱南案的「高耗能」議題在一開始的時候，還不是那麼引人注意，即

↑京都會議國會觀察團。提供／愛鄉文教基金會

便當初就有人提起1992年巴西里約熱內盧地球高峰會議簽署的「氣候變化綱要公約」（Framework Convention on Climate Change; FCCC），建議政府應該以技術密集、低自然資源與能源需求的產業為導向，不應該再鼓勵甚至支持「高耗能」的七輕石化綜合廠與燁隆煉鋼廠。

面對「氣候變化綱要公約」，面對「全球共同合作減少溫室氣體排放量的共識」，政府也不是完全沒有作為，但因國際間對於如何議定出一項符合綱要公約基本原則、可接受、且具有法律效力的溫室氣體減量協議，仍有許多爭議，加上台灣並非聯合國會員國，連帶使得行政部門在心態上始終抱持著觀望的態度。因此，可以想像在當時討論溫室氣體，談二氧化碳減量，應該是相當寂寞的。

到了1997年下半，國際間陸續傳出：1997年12月在日本京都舉行的第三次締約國大會（COP3）可能達成協議，並簽署具有法定約束力與歷史意義的國際協定『溫室氣體減量議定書』，以規範工業國家2000年以後的排放目標。溫室氣體減量的議題逐漸加溫，而且民間加溫的腳步顯然超過行政部門。

由於蘇煥智的立委身分，民間團體與立法部門對於這個議題的默契與動作是一致且積極的。

1997年11月13日，由趙永清、范巽綠、柯建銘與蘇煥智等立法委員與環保團體合辦的「因應氣候變遷綱要公約公聽會」首先登場。

公聽會作成決議：堅決反對以發展核電作為二氧化碳的管制方案，並建議政府提升因應氣候變化綱要公約的層級，儘速擬訂獎勵節約能源條例草案，取消天然氣進口關稅，增加造林，並取消濱南工業區開發計畫。

公聽會也達成要在立法院成立「立法院永續發展促進會」的共識。

1998年3月24日，由王拓、朱惠良、林忠正、丘垂貞、洪奇昌、范巽綠、翁金珠、陳文輝、陳永興、陳光復、黃國鐘、葉菊蘭、劉進興、蔡正揚、蕭裕珍、錢達、謝欽宗、蘇煥智等立法委員發起的立法院永續發展促進會宣布成立，並推趙永清擔任第一屆召集人、柯建銘為執行長。

公聽會後，蘇煥智、王拓、洪奇昌、范巽綠等立法委員也籌組了「京都會議國會觀察團」，於12月4日前往日本觀察氣候變化綱要公約締約國第三次會議（COP3）。

1997年12月1日至10日，備受矚目的聯合國氣候變化綱要公約第三次締約國大會在日本京都舉行，共有159個締約國及250個非政府組織參加，總人數超過一萬人。會議的焦點「京都議定書」，也在歷經十一天艱苦談判後達成協定，規範工業國家2000年以後的排放目標。

該協定主要內容包括：

1. 減量期程與目標值：39個工業國（公約「附件一」成員及摩洛哥與列支敦斯登）以個別或共同方式，將人為排放的六種溫室氣體換算為二氧化碳總量，與1990年相較，平均削減值5.2%，同時採差異性削減目標的方式：歐洲聯盟及東歐各國8%、美國7%、日本、加拿大、匈牙利、波蘭6%，另冰島、澳洲、挪威則各增加10%、8%、1%。減量期程為2008至2012年，並以此5年的平均值為準。

2. 六種溫室氣體中，CO_2、CH_4、N_2O管制基準年為1990年，而HFCs、PFCs與SF_6為1995年。

3. 碳排放權交易制度：允許議定書簽約國彼此間可以進行排放交易。

4. 森林吸收溫室氣體的功能應予以考量，即1990年以後所進行的植

林、再植林及森林採伐的CO_2吸收或排放淨值，可包含於削減量。

5. 成立「清潔發展機制」：由工業國對開發中國家進行技術及財務協助其溫室氣體減量計畫，所減的數量由雙方分享。

6. **簽署**：1998年3月16日起至1999年3月15日止，在紐約聯合國總部開放公約成員簽署，其後開放加入、批准、接受或認可。

7. **生效**：當認可議定書國家達55國，且認可國家中附件一成員的1990年CO_2排放量至少須占全體附件一成員當年排放總量的55%，則議定書於其後第90天開始生效。

京都議定書達成協定的消息傳回台灣後，蕭萬長院長立即在1997年12月15日召集副院長劉兆玄、秘書長張有惠、經濟部長王志剛、經建會主委江丙坤、交通部長蔡兆陽、農委會主委彭作奎、環保署長蔡勳雄及政務委員黃大洲等人，聽取環保署長蔡勳雄有關京都議定書的簡報，並裁示：經建會、經濟部、農委會等相關部會必須在1998年5月前提出因應方案，如檢討能源、產業政策等，經濟部並應在近期內召開「全國能源會議」。

1998年5月26、27日，全國能源會議真的召開了，且在四個月的籌備過程中，舉辦了五十餘場次各類型會議，最後在行政院蕭院長明確且堅定宣示「我國將積極參與全球對抗氣候溫暖化的決心，並號召全國民眾共同努力，控制溫室氣體排放」中落幕，且獲得幾項共識：

1. 目前溫室效應的科學證據仍有爭議，但聯合國已制定京都議定書，身為地球村成員，為善盡環境保護責任及避免國際制裁，我國將積極因應公約的規範，並推動各項無悔措施。

2. 我國應爭取定位為新興工業國，承擔我國合理且與各國溫室氣體減量成本相當的責任。

3. 我國溫室氣體減量，可考量以2000年為基準年，以2020年為減量目標年的方向，來規劃各部門的具體減量目標及措施，據以推動，並視國際發展趨勢及執行成效每四年全面檢討修正。

　　全國能源會議過程，環保團體都儘可能參加，包括會議室內與會場外的抗議。過程中，為了避免CO_2的議題成為推動核電的藉口，反核團體與反濱南團體彼此定調得很清楚，還畫了一幅漫畫，漫畫上把核四所能減量的CO_2全部都給了濱南案，諷刺政府又要核四，也要濱南案的兩手策略，讓支持核電與濱南案的人很生氣！

　　全國能源會議前夕，趙永清、蘇煥智、范巽綠、柯建銘、徐中雄、蔡

1998年5月26、27日全國能源會議會場外反濱南與反核團體反對高CO_2排放的濱南案，反對以核能發電作為解決CO_2排放量的方案。提供／中時報系

正揚、蕭金蘭、陳漢強、朱惠良、黃國鐘等四十二位立法委員為建議政府妥切因應聯合國氣候變化綱要公約第三次締約國大會簽訂的京都議定書，追求國家的永續發展與最大利益，以及確立以環保與科技為優先的產業政策，於立法院第三屆第五會期第十九次會議中（1998年5月22日），提出因應步驟及策略，促請政府各相關單位戮力執行，作為日後對外談判的後盾和籌碼。

該項提案已正式列入立法院的記錄，但因不是法律案，僅能供行政部門參考！

京都議定書在經過七年的折騰後，終於在2004年11月18日俄羅斯正式交出普廷總統簽署的京都議定書後，聯合國氣候變化綱要公約（UNFC-CC）隨即宣布：對抗全球暖化的京都議定書將自2005年2月16日起正式生效。

1998年5月的場景，在2005年又重現了一次，有政府的全國能源會議，也有環保團體的民間能源會議。

←1998年6月13日反濱南愛鄉護水
行動聯盟召開記者會，針對濱南案
的用水計畫提出質疑。
提供／中時報系

老蕭動怒　質問實情

　　就在環保署發函通知將在1998年4月7日召開「濱南工業區開發計畫第二階段環境影響評估專案小組第一次初審會議」前夕。

　　4月3日，各大媒體都出現斗大的標題：「老蕭動怒　濱南工業區生變　指用水及汙染可能影響南科　經濟部未確實評估　七輕、大煉鋼廠不樂觀」、「蕭揆：濱南工業區水電環保承受力速評估　要求經部確實估算保證南科不缺水不缺電　有問題早點說」。報導內容指出：行政院長蕭萬長4月2日嚴屬要求經濟部，及早評估濱南工業區環保及水、電需求所能承受的能力，儘速確定設廠可能性，不要讓企業長時間期待。蕭萬長語帶指責地說：南科附近的「這個區域」，要興建大煉鋼廠及石化廠（七輕），以現在水資源的供應及環保汙染的承受量，有無可能再去承受一個大型工業區？這些問題經濟部都可以解決，也可以估計，但經濟部一直沒好好估計。蕭萬長並批評經濟部：老是口頭說沒有問題，但這個沒有問題到底是幾年沒問題？如果沒有把握就要早一點說！（1998-04-03／經濟日報／01版）

　　在蕭院長提出質疑之後，環保團體也加緊收集資料，並配合環評議題審查，在6月13日召開記者會，公佈1996～1998年水利單位在不同會議中所提出來的濱南工業區開發計畫供水方案，凸顯水利單位前後說法不一，供水計畫是「白賊書」。

Act Two,
Scene Three

一階環評 輪番上場

1998~1999

1997年12月30日，經濟部工業局依《環境影響評估法》第十三條規定，將開發單位編製的濱南案環評報告書（初稿）以及工業局於1997年12月8、9日辦理的現場勘察及聽證會記錄函送給環保署，經環保署初審後，於1998年2月9日函請開發單位補正資料，並請其依環境影響評估書件審查收費辦法繳交審查費。

↑ 1997年12月19日針對第二階段環評發表「黑面琵鷺的鄉愁」。提供／中時報系

2月18日，開發單位繳交審查費。依《環境影響評估法施行細則》第十五條規定，這一天就是《環境影響評估法》第十三條所規定的第二階段環境影響評估審查期限的起算日。

2月27日，環保署函送濱南案環評報告書給各機關團體，並徵詢環境影響評估審查委員會專案小組成員的意見。經彙整專案小組成員的意見及開發單位的補正說明後，環保署初步決定將濱南案環境影響評估分成六項議題進行討論；然而在分組消息曝光後，蘇煥智於3月19日發函建議環保署將討論議題增為十組，後經環保署與三位專案小組召集人會商後，接受了蘇煥智的建議。

這十項議題包括「區位替代」、「工業專用港替代」、「海岸沖刷」、「潟湖」、「用水及排水」、「對科學園區之影響」、「二氧化碳排放及公

害防治」、「酸雨」、「黑面琵鷺及自然保育」及「漁業及其他」。

十個議題　輪番審查

◎區位替代方案與工業專用港（1998.4.7）

　　1998年4月7日，環保署召開「濱南工業區開發計畫第二階段環境影響評估專案小組第一次初審會議」，審查「區位替代方案」與「工業專用港」。

　　自此，啓動了漫長的濱南案第二階段環評，除了十四次專案小組初審會議外，並就「海岸沖刷與潟湖」及「用水計畫」分別加開了二次及一次會議，總計在專案小組審查階段共開了十七次會議，其中，有六次是綜合討論。

　　濱南案的區位替代方案在環境影響說明書審查階段（第一階段），就不斷地被討論，包括開發案的必要性、開發規模、開發地點的選擇、兩個開發單位是否分開開發，以及可否放棄工業專用港改以棧橋碼頭替代等。因此，環境影響評估審查委員會第二十六次會議讓濱南案有條件進入第二階段環評時，就附帶決議：「爲避免產生巨大且難以回復之影響，是否需開發如此龐大的工業區，仍有斟酌餘地，請考量石化廠、專用港、大煉鋼廠分開不同區位設置或作適當切割之替代方案。並對本開發區、鄰近區以生態觀點提出具體之探討及客觀評比。」顯然，環境影響評估審查委員會是希望開發單位以生態的觀點就開發案的開發規模及

區位設置等提出具體的探討與客觀的評比。

可是，開發單位仍堅持合併開發濱南案，其理由冠冕堂皇，包括：「地理條件佳」、「氣象與海象條件佳」、「配合地方政府開發沿海地區」、「土地面積可提供蓋廠」等。至於不願選擇雲林離島基礎工業區的理由則為：「由政府進行造地與建港」與「土地成本高」。

審查會中，環評委員與專家學者認為區位的評比應將各項重要環境因子納入考量，作詳細的分析，而非僅以成本效益為主，且替代方案中的零方案應該考慮「台南縣綜合發展計畫」中所擬訂的「南部國際機場」、「基礎資源型工業區」與「濕地公園」三個替代方案。列席的立法院永續發展促進會、中華民國濕地保護聯盟、生態保育聯盟、反七輕反大煉鋼廠行動委員會、七股潟湖國家風景區促進會、七股海岸保護協會、台南環境保護聯盟等團體代表也針對這種全然從開發者私利觀點出發的替代方案表達不滿。

環保團體代表指出：濱南案預定地屬於生態敏感區以及生態緩衝區，且為台灣重要的潟湖。在台南縣政府的綜合發展計畫中，已將台十七號公路以西沿海一帶，劃定為生態敏感區，故應以保育、遊憩或低度開發為主，優先考量低污染、高科技產業的開發以促進地方繁榮。在生態敏感區開發高污染的產業，顯然違背台南縣的發展計畫。

環保團體代表進一步依據土地法第十四條規定指出：海岸一定限度內的土地應絕對公有，不得為私有權利的標的物。由於濱南案的計畫用地絕大部份是公有的海岸土地、潟湖與公營事業台鹽的土地，如果不依法處理，將會使得大片的國有土地在財團開發工業區的名義下，淪入財團的口袋。

當大家都對開發單位堅持合併開發濱南案、以及缺乏生態觀點的區位評選表達不滿，甚至認為不該再進行後續審查時，會議還是做成如下的結論：

1. 由於開發單位對於本案所提之「區位替代」與「工業專用港替代」部份與本案環境影響說明書審查結論第一點及第二點未盡相符，應退請開發單位再提出具體替代方案。

2. 後續審查「海岸沖刷」、「潟湖」、「用水及排水」、「對科學園區之影響」、「二氧化碳排放及公害防治」、「酸雨」、「黑面琵鷺及自然保育」及「漁業及其他」等八項議題時，若涉及「區位替代」與「工業專用港替代」部份，可併案討論，必要時可於「綜合討論」時納入。

「區位替代」與「工業專用港替代」部分是退回給開發單位再提出具體替代方案，但是審查還是要繼續。雖然我們一再質疑：「連區位都沒辦法定下來，往下審查的基礎是什麼？」但還是無功而返。

第二天的媒體報導標題寫著：「濱南開發案　退件退定了」（1998-04-08／民生報／20版）、「濱南開發第二期環評　兩方案退回」（1998-04-08／聯合報／06版）、「濱南二階段環評初審觸礁」（1998-04-08／經濟日報／03版）。看來開發單位連區位都沒辦法搞定，後頭一定是沒希望了。可是開發單位後續提出的「區位替代」與「工業專用港替代」方案，依然堅持一定要蓋在這裡，也一定要有工業專用港，只是廠區面積變小了，工業港的船席位變少了。

隔天，聯合報記者陳英姿在一篇新聞評論中寫到：「先別問拜耳案中

民眾為什麼不相信環評，先問政府能否建立環評的公信力和專業權威。環保署與其寄望藉由濱南案釐清國家產業政策，使其往後進行環評審查時不會太為難、太迷惑，不如藉由濱南案，建立一個沒有預設立場、尊重專業、不畏權勢與壓力的環評典範。」（1998-04-08／聯合報／06版）。

◎海岸沖刷與潟湖（1998.4.24、1998.6.2加開、1998.7.9加開）

七股沿海一帶是底棲、迴游、降海、溯河性魚類作為棲息與通道的主要場所，更是西南沿海漁業資源仔稚魚的重要哺育場所，而七股潟湖為陸上魚塭與七股海域的緩衝水域，浪流情況較外海穩定，在海水與淡水交互作用下，享有海陸兩域的營養源，與台南沿海漁業體系形成一個良好的循環系統。

濱南案準備從海底抽取高達16,166萬立方公尺的砂土來造地，並建築長達4～5公里的防波堤，如此高額的抽砂量，以及防波堤建造後產生的凸堤效應，是否會影響海岸的平衡？造成沙洲的侵蝕流失？危及國土保安？此外，濱南案計畫將七股潟湖填成工業區，是否影響潟湖的水質交換功能，甚至造成生態環境無可回復的災害等等？這些問題在第一階段環評時就引起了環評委員、學者專家與環保團體的重視。

因此，濱南案一進入第二階段環評，「海岸沖刷」與「潟湖」兩個議題自然而然成為焦點，其中，最關鍵的部分就在於到底可不可使用潟湖？如果可以使用的話，允許使用多少？講白一點，只要不准使用潟

↑1998年6月2日環保署召開濱南案環評專案小組會議，審查「海岸沖刷」與「潟湖」，環保團體秀出濱南預定地鳥瞰圖。
提供／中時報系

湖，就等於勒住了濱南案的脖子，宣布濱南案死刑！

1998年4月24日，環保署召開「濱南工業區開發計畫第二階段環境影響評估專案小組第二次初審會議」，排定審查「海岸沖刷」與「潟湖」兩個議題，並爲愼重起見，在既有的14位環評委員、15位專家學者外，增聘了3位學者。

審查會中，幾乎所有的環評委員與專家學者都對開發單位的報告提出質疑並指出：專用港將阻絕北沙南移，加速對曾文溪口及毗鄰海岸的影響。至於濱南案對於海岸地形變遷的評估，應經模式驗證以瞭解其可信賴度，並將颱風暴潮對海岸沖刷的影響、回填造地時程及造地過程抽砂對海岸變遷的影響等納入評估。至於潟湖生態的影響，環評委員與專家學者也對報告中所稱潟湖生態系將不因開發潟湖30％面積而受影響的結論，非常不以爲然；環評委員與專家學者指出：開發單位將生物量與生產量混用，估算的方法未明確交待，且估計的數值明顯偏低，又不當假設水層與底層食物鏈相互獨立，潟湖內各項物化、水文、生物因子爲均勻分布，忽略了生物彼此間的交互作用關係等。因此，建議開發單位在生態評估中，應納入生物分佈、棲息環境特性、食物來源與鏈系、生物在外海與潟湖間的游動等動態關係。

最後，會議決議要求開發單位以生態觀點針對潟湖不同使用面積比例（0%、5%、10%、15%、20%、25%、30%）提出比較分析，並對「海岸變遷模擬、模式選用、驗證、邊界條件、網格選定、三維邊界效應及渦流翻泥效應分析、海象資料與輸入數值、沖刷淤積範圍及其影響、颱風暴潮」、「青山漁港是否造成淤積、七股沿海漁場的沖刷影響」、「實際水工模型試驗的驗證」與「潟湖南潮口的影響」等詳加分析，以評估海岸沖刷的影響，以及對「基本調查及推估」、「潟湖生態系統錯綜複雜的交互影響及水理水質交互影響」、「北側出口堵塞後對水質水理與潟湖生態系統的交互影響」、「能量傳輸模式、營養鹽來源」、「南北水團交互影響，以及北潮口堵塞、南潮口出入水流的影響」、「牡蠣苗影響及於七股以南，甚至澎湖範圍的評估」、「污水不得排入潟湖」等詳加分析，以評估潟湖環境的影響。

至於濱南案可能造成的海岸沖淤、河川侵蝕、港口阻塞等的補救、補償（賠償）措施，則指明應由開發單位負責辦理，並提出可行的財務分析，至於一直有爭議的「溝通」問題，則要求開發單位明確述明「溝通對象是否確已溝通」。

6月2日，濱南工業區開發計畫第二階段環境影響評估專案小組再就「海岸沖刷」與「潟湖」兩個議題加開審查會，並增聘了6位專家學者，使得專家學者人數達到24位。

審查會還是與4月24日的場景一樣，質疑遠遠超過肯定。環評委員與專家學者再指出：開發單位有關海岸沖刷計算方法與輸入條件，缺乏完整的實測資料做依據，且開發單位的海岸沖刷推論與成大水工所的觀測結果有所矛盾。因此，會議決議要求開發單位再審慎評估計畫使用潟湖面

積比例，對於潟湖生態系統評估採用的模式，其輸入、輸出資料及參數使用，應再參酌環評委員與學者專家意見修正外，也請開發單位依環評委員與專家學者所提意見，修正對海岸沖刷模式的選用、驗證及結果，並再評估開發工業港及抽砂填海對環境的影響程度、範圍及訂定因應對策或其他可行的方案。

7月9日，專案小組再就「海岸沖刷」與「潟湖」兩項議題加開審查會。審查會中，環評委員與專家學者持續對於開發單位的報告提出質疑，除指出開發單位的補充報告並無新增內容外，還要求開發單位說明如此大規模的抽砂、防波堤與航道浚渫對環境的影響是否為不可逆的開發行為？並對開發單位以重金屬為主要影響生態系的因子來執行EcoSim II感到不妥。環評委員與專家學者認為重金屬污染並非是開發使用潟湖時造成生態系破壞、生物量減少的主要因子，然而開發單位一直鎖定重金屬並刻意提高重金屬的濃度，不僅不切實際，且容易產生誤導。

除了環評委員與專案小組學者專家的意見外，環保團體也對濱南案的抽砂造地與建構工業港行為，提出了五個觀點：

1. 海底抽沙，形同銀行擠兌：濱南案在短期間內，由近海海底抽取16,166萬立方公尺的沙土（相當於翡翠水庫有效容量的二分之一，曾文溪三十七年的累積輸沙量），抽沙後所造成的深坑，往往歷經數十年也無法填平，成為海底陷阱，切斷漂沙的移動，進而影響波浪分佈，造成海岸失衡，引發海岸侵蝕。

2. 凸堤效應，造成南侵北淤：由於台灣西海岸自濁水溪口至曾文溪口的漂沙優勢方向，係以由北向南為主，而濱南案工業專用港北側，凸出海岸長達4～5公里的防波堤，勢必完全切斷由北向南的沿岸輸

沙，使得工業港南側的網子寮汕與頂頭額汕因輸沙斷絕而發生侵蝕，工業港防波堤北側將軍鄉沿岸的青山港與中心漁港發生淤積。

3. 漁港淤積，巨額投資泡湯：在工業專用港北防波堤北側三公里範圍內有兩個漁港：青山港與中心漁港。前者緊臨防波堤，是將軍鄉青鯤鯓漁民捕撈的唯一出入港口，後者為政府為促進台南縣沿海地區海洋漁業生產，發展休閒漁業，所規劃興建的現代化漁港。工業專用港北防波堤的凸堤效應，除了危及青山港出入船隻的安全外，被攔下的漂沙將阻塞漁港航道，使得政府投資數十億的漁港建設泡湯，連帶影響沿海漁民的生計！

4. 沙洲侵蝕，加速國土流失：網子寮汕、頂頭額汕與新浮崙汕等沙洲，可遮擋入侵的海浪，減低海浪的能量，是台南縣海岸的特色，也是台南縣海岸的最佳天然屏障；近幾十年來，由於鄰近河川上游的水庫興建與中下游的河川沙石盜採，沿岸漂沙銳減，海岸沙洲均有侵蝕與內縮現象，甚至可能不再有新生的沙洲產生。未來工業專用港北防波堤完工後，將完全切斷由北向南的沿岸輸沙，使得網子寮汕與頂頭額汕因輸沙斷絕，加速國土侵蝕流失。一旦這些沙洲消失，原先擁有天然屏障的台南縣西南海岸，將直接暴露在海浪的攻擊下，而台灣地區碩果僅存的七股潟湖，則將變成海灣。從此，這個由沙洲、潟湖與鹽田所組成的國際級的海岸濕地生態系也將消失！

5. 漁場破壞，漁民何去何從：在七股濕地上進行的濱南工業區開發計畫，將七股潟湖填成工業區，將使潟湖的水質淨化功能消失，加上水域縮小，魚塭排放水與海水無法充份交換，魚塭池水在惡性循環

下必然越來越優氧化。如此一來，環繞潟湖四周六千多公頃的鹹水魚塭將因水質的惡化，發生經營困難，連同原本就在潟湖養蚵、施放定置魚網，以及在曾文溪口到八掌溪口沿海漁場捕魚的青鯤鯓、龍山、西寮、三股、十份、海寮、馬沙溝、蘆竹溝、北門等村落超過16,000位漁民的生計，都將因潟湖功能喪失與沿海漁場遭到破壞，而發生困難！

可惜，在「無法」可以駁回開發案的情況下，即便有環評委員、專家學者與環保團體的齊聲質疑，但會議終究下了結論（【綜X】表示該結論經第X次初審會議綜合討論確認，無標示者即未經綜合討論確認）：

1. 潟湖部份：

（1）Ecopath 4.0及EcoSim II模式可應用於潟湖生態之評估，惟僅以重金屬為模擬參數仍嫌不足，應再加入其他參數演算。其中，輸入之十三類生物基本資料為引用自中央研究院，僅供基礎研究用資料。

（2）以模式模擬本開發計畫使用潟湖面積比率結果，不論任何使用潟湖比率（5%、10%、15%、20%、25%、30%）對潟湖生態均有影響，其中潟湖使用面積比率百分之五就等於將北潮口堵塞，潟湖之潮口堵塞與否為影響潟湖生態之關鍵因素，建議開發計畫以儘量不使用潟湖為原則。【綜11】

（3）在儘量不使用潟湖的原則下，本計畫之開發及營運階段對潟湖生態有所影響部份，應有具體減輕及避免對策。【綜9】

（4）水質水理影響因子與潟湖生態系統之交互影響，應再加評估。【綜9】

2. 海岸沖刷部份：

（1）海岸變遷模擬模式應經現有地形之驗證，方可推估未來海岸
變化狀況。另外，減輕及因應對策之成效（包括颱風、暴潮
及波浪影響推估），亦應評估。【綜9】

（2）海岸開發計畫應採迴避、最小化及減輕等環境保護原則進
行，並對可逆性及不可逆性加以探討，因此，本計畫應依下
列方式：【綜10】

　　a. 為顧及海岸穩定及生態資源保存，不宜抽取規劃錨泊區海中沙
　　　脊之砂源。如工業專用港需錨泊區時，其區位應另行選定。

　　b. 本計畫應對縮短防波堤、減少航道深度、縮小港區規模等提
　　　出替代方案。

（3）應詳細評估本計畫開發後造成青山港淤積之具體年限，並提
出因應對策，另應與漁業單位協商。【綜9】

（4）本開發計畫對青山港周界之大寮排水之影響應加以因應。
【綜9】

（5）海岸淤積、侵蝕之演算範圍，應含括急水溪口至曾文溪口。
【綜9】

（6）應補測近岸水深五米以內之地形資料。【綜9】

　　仔細去看這些結論，不禁要懷疑，這種缺東缺西的環評報告書怎麼審
下去？此外，結論中還是有一項值得注意的：「不論任何使用潟湖比率
（5%、10%、15%、20%、25%、30%）對潟湖生態均有影響，其中潟湖
使用面積比率百分之五就等於將北潮口堵塞，潟湖之潮口堵塞與否為影

響潟湖生態之關鍵因素，建議開發計畫以儘量不使用潟湖為原則。」

這項原本被認為是反濱南運動勝利的關鍵結論，最後竟然莫名其妙地被推翻！也難怪部分被邀請加入專案小組的專家學者在開發案進入第二階段環評後就不想再出席，據說是「講再多，開發單位也不修改，不補充，最後不了了之；反對再強烈，最後還是反對無效」！

◎用水計畫（1998.6.15、1999.1.29加開）

濱南案最引人注意的項目之一，就是它的「高耗水」。

依據燁隆集團的《濱南工業區開發計畫——精緻一貫作業鋼廠與工業專用港環境影響說明書定稿本》第I-D-1頁～第I-D-13頁，大煉鋼廠的用水計畫為：每日循環用水量397萬噸，經過用水的循環使用及引用海水作為動力工廠的冷卻用水，每日所需的補充水量為10.7萬噸，其回收水率高達97%，遠超過中鋼公司及日本新日鐵君津製鐵所，加上廠區每日1.28

←1996年6月15日
美濃鄉親參加濱南
案環評，抗議政府
為了濱南開發案，
興建美濃水庫。提
供／中時報系

萬噸的民生用水，總計燁隆精緻一貫作業鋼廠的每日補充用水量為12萬噸。

東帝士集團的《濱南工業區開發計畫——石化綜合廠與工業專用港環境影響說明書定稿本》第5-15頁中，七輕石化綜合廠的用水計畫為：當試車完畢開始運轉時，每日的民生用水為0.255萬噸，工業用水為19.8450萬噸，總計每日補充用水量約為20萬噸。經過許多專家的質疑後，東帝士集團在1997年4月提出的用水計畫說明書修正本中，將每日的民生用水降低為0.1116萬噸，工業用水降低至17.6648萬噸，總計17.7764萬噸。

由於開發單位一再對外宣稱他們已經有了周全的用水減量計畫、用水循環再使用計畫、廢水回收再生計畫、放流水再利用計畫與海水利用計畫等一連串的節水規劃，但是卻有意無意地迴避了他們真正高耗水的需求，甚至導引一般民眾在認識不清下，以為每日雖然得使用到32萬噸的水（1997年4月已修正為30萬噸，1999年10月下修為19萬噸），在回收水率高達97%的節水規劃下，將會使得用水量變得非常小！但實際情況應該是：在開發單位所陳述的種種節水規劃下，每日仍需補充高達30萬噸的水，而且這個數字是在新設備，或設備運轉條件符合理想下的結果，是一個最少量。將來設備老舊或操作條件出狀況時，需要補充的水量只會增加不會減少！

在供水系統部分，依據開發單位1997年4月提出的用水計畫說明書修正本：

1. 在自來水部份，結合烏山頭水庫與南化水庫的水源，以三條管路通達濱南工業區：一為配置直徑1,500公厘的管線，自台南市沿安南區西北而上，經國聖橋向西到七股工業區，主管繼續北上到濱南工業

區；二為自烏山頭水庫淨水廠出發，改配直徑為2,200～2,000公厘的水管，經佳里向西；三為自學甲加壓站配管向西，經中心漁港後，以直徑為400公厘的分管供應，前兩者形成雙線供應系統，後者則供應民生用水。

2. 在工業用原水部份，以烏山頭水庫作為第一優先水源，興建工業用水專用管路，直達濱南工業區。其中，東帝士集團提出三個供水路線規劃方案，而燁隆集團則擬利用嘉南大圳輸水到工業區，並分別計畫在官田站、麻豆站與後營站取水。

至於濱南案用水從何而來？負責供水方案的經濟部水資源局在1996年10月30日「台南濱南工業區用水供水計畫說明會」與1997年5月21日「濱南案開發單位用水計畫審查會」所提供的《台南濱南工業區用水供水計畫說明書簡報》指出：濱南案的近程用水由曾文、烏山頭與南化水庫供應，遠程用水則由荖濃溪、旗山溪越域引水計畫及玉峰攔河堰供應，整體而言，供水方案審慎樂觀，且2011年後供水無虞。到了1998年6月15日「濱南工業區開發計畫第二階段環境影響評估專案小組第三次初審會議」前夕，也就是在蕭萬長院長公開質疑濱南案供水問題之後，由水資源局取得的資料顯示供水方案有了調整，近程用水仍由曾文、烏山頭與南化水庫聯合調配供應，但遠程用水則改由（1）美濃水庫、（2）荖濃溪、旗山溪越域引水計畫（流域水源聯合調配）供應，對於供水方案的態度則有些不同，水資源局承認：「南部地區現有及興建中的蓄水設施，僅能供應濱南案的初期用水」、「若荖濃溪、旗山溪越域引水計畫如期完成，僅可滿足到2011年的用水需求」、「瑞峰水庫完工後，嘉義地區用水

回流供應台南地區，則可滿足到2012年的用水需求」、「2012年後仍需以美濃水庫供應」，推翻了美濃水庫的水不會供應濱南案的承諾。

由於水資源是人類生存與國家發展的必備要素，在經濟部門持續不斷發展下，水資源需求不斷地增加，但在供給方面，由於全球氣候變遷的影響，造成人民對缺水的恐慌。依照水利單位的分析顯示（1997年12月前）：台灣南部地區到2021年的非農業用水需求每日為601.84萬噸，相較於1992年的可供水量而言，成長幅度高達87.8%。這些增加的用水需求，除了部份屬於民生用水的自然成長外，主要是來自南部地區新增工業區的工業用水。為了因應新增的用水需求，水利單位於是大量投入各項水資源開發計畫，包括：牡丹水庫、高屏溪攔河堰工程、南化水庫二期工程、玉峰攔河堰工程、隘寮溪攔河堰工程、荖濃溪越域引水工程、瑪家水庫與美濃水庫等，並對外宣稱台灣南部地區公共給水系統在聯合運用的經理方式下，用水供需應為「審慎樂觀」。在這種詭譎的說辭下，許多原本已不適合在南台灣缺水環境下生存的高耗水產業，似乎又找到了活水！然而實際的情形是否如此？

由於這些水資源開發計畫，如荖濃溪越域引水工程、瑪家水庫與美濃水庫等，充滿不確定性，主管官署若僅憑書面的時程計畫，貿然同意一個高耗水產業的用水需求，未來幾年，一旦這些水資源開發進度因工程困難而延宕，甚至無法兌現時，同意此供水計畫的現任官員又如何為後續的責任歸屬負起責任？道歉？辭官？為時已晚！若因此導致廠商的損失，誰要來負賠償責任？

除了水資源開發計畫的問題外，另一個令人擔心的面向就是高耗水產業「對農業的衝擊」。由於經濟部水利司在1996年10月30日召開的「台南

濱南工業區用水供水計畫說明會」中提到：台南濱南工業區、台南科學園區與台南科技工業園區的供水對策為南化水庫二期興建工程、荖濃溪越域引水工程計畫、玉峰堰工程計畫與研擬移用農業用水合理補償辦法。而開發單位在第一階段環境影響說明書定稿本中揭露「請經濟部水利司協調取得嘉南水利會同意調配農業用水」與「預料加入WTO後，休耕或廢耕的農田面積將會增加，可將釋出的灌溉水源，分配給民生及工業使用」。

換言之，農業用水幾乎成為各項工業開發案覬覦的標的。

依據1995年水資會的統計資料顯示：台灣地區的農業用水自1991年起，總可用水量已逐年減少，其中以灌溉用水減少最多，主要原因是乾旱缺水，推行休耕轉作減少用水，以及灌溉用水被移用支援民生用水。以嘉南農田水利會為例，自1992年以後各年的實際用水都在計畫用水的70%以下，而被移用的農業用水每年都在五千萬公噸以上。農業用水本身已呈現不足，而在遭逢天災缺水的情形下，又常需將原本不足的農業用水移供其他標的使用，更加重農業用水的不足，而不得不以休耕因應，因此，農業用水的情況，絕非外界想像中的充裕。

以1994年為例，嘉南農田水利會所轄台南地區的農業用水就短缺約三億噸（含計畫用水與實際用水的短缺，及被移用者），因缺水而休耕的農田面積超過二萬公頃。可以預見的未來，一旦這個高耗水的濱南案被付諸實施，再加上乾旱，則休耕的面積絕對數倍於此。水是種田人的根本，水被移用，等於是斬斷種田人的命脈！大片農地將被迫休耕拋荒，甚至導致鹽化。這些損失，該如何計算？如何補償？誰來支付補償費？

如果濱南案的工業用水獲得應允，並由自來水公司供應，未來需要移

用農業用水時，是該將移用水量視同自來水公司所供應的公共給水，由自來水公司支付補償費？還是由這兩個財團支付？財團願意支付嗎？即使由財團支付，是否又會回頭要求自來水公司履約賠償？自來水公司與嘉南農田水利會簽訂有「移用契約」，一旦需要移用農業用水，則自來水公司必須付給農田水利會「用水移用費」，1981年時的移用單價為0.72元，每二年調整20%，自1992年起改為每二年調整10%。嘉南農田水利會表示，目前（1997年）的移用單價應調整為每噸約6元，但多年未調整，仍以4.248元計算。自來水公司則表示：在目前水價無法大幅調整的情形下，水公司已是虧本經營，但因自來水必須保持供水的穩定，因此，自來水公司仍得支付這筆金額給水利會。在這種情形下，我們回頭來看自來水公司供應工業用水的單價是多少？每噸最高為5.7元左右（包括原水、管路開發與管理費用）。這個價格扣除每噸2.104～3.596元的工業用水專用水管成本後（開發單位自行預估），在豐水年都已不見得合乎成本，若碰上乾旱年，自來水公司還得再支付農田水利單位每噸將近6元的移用費用，這樣算下來，自來水公司每賣出一噸的工業用水就得虧損2.404～3.896元，這不就是所謂的「輸血大贈送」嗎？！

　　1998年6月15日，環保署召開「濱南工業區開發計畫第二階段環境影響評估專案小組第三次初審會議」，審查「用水計畫」。由於審查會前水資源局提供的資料顯示美濃水庫被列入濱南案遠程最優先的供水方案中，引發反對美濃水庫開發案的鄉親的不滿，一百多位來自美濃與屏東的朋友到環保署環評會現場抗議水資源局以興建美濃水庫作為濱南案的供水方案，使得審查會的緊張氣氛升高了不少。來自美濃的朋友更直接指出：1998年4月19日水資源局長徐享崑至鍾理和紀念館拜訪美濃愛鄉協

進會鍾鐵民會長時，曾一再撇清美濃水庫與濱南案的關係，現在卻把美濃水庫當作濱南案的遠程供水方案，簡直就是愚民的手法。

審查會議中，除了經濟部水資源局與台灣省政府水利處代表態度曖昧外，環評委員、專家學者與其他機關團體代表都對開發案的用水與供水問題提出強烈質疑。因此，會議結論除了要求就供水、用水與調配做進一步評估外，也請經濟部水資源局具體提出供水方案，並與開發單位就供水風險提出因應對策，再提專案小組會議討論：

1. 供水部份：【綜10】

（1）目前曾文水庫、烏山頭水庫及南化水庫原有供水計畫內並未列入本開發計畫之用水。

（2）水資源局之供水計畫仍有諸多不確定性，如水資源開發時程、規模之不確定性及其衍生之風險，仍須進一步分析釐清，並就區域性、長期性作整體考量。

（3）供水計畫之執行過程，應考量社會各界反應，妥為處理。

2. 用水部份：【綜10】

（1）應補充評估合計因開發引致當地發展及整體區域發展後之需水量。

（2）請比較評估本開發計畫三十萬噸用水量之產值（供飲用及其他使用）。

（3）水價調昇對開發計畫之衝擊。

（4）評估供水方案不同用水量之開發風險率與開發規模之關係。

3. 調配部份：【綜10】

（1）依水利法規定民生用水第一優先。

（2）農業用水難以調配，開發單位如要移用，應評估對農業之衝擊（包括移用農業用水量、影響區域、農業生產類別、產值損失及對農業生態系統之影響）。

（3）水源之調配應與地方政府協商。

（4）應注意地下水補注及地下水位下降相關影響。

（5）枯水期調配水源之優先順序應予考慮，尤應注意對台南縣農業用水之需求影響。

1999年1月29日，濱南工業區開發計畫第二階段環境影響評估專案小組依據1998年6月15日的會議結論，再就「用水計畫」加開一次審查會。這時候，水資源局提出的報告改口：美濃水庫將供應高屏地區用水，原由南化水庫支援高雄地區水量則回歸供應台南地區，南化、曾文水庫則供應台南、嘉義地區。且報告中不確定性的語氣大大提高：「南部地區降雨量雖豐，但時空分佈不均，且蓄水設施容量不足，用水戶必須面臨因水文不確定及蓄水設施容量不足所帶來的缺水風險」、「濱南工業區初期供水以南化水庫二期及高屏溪攔河堰工程完工後聯合調配供水，其系統規劃的缺水指數為1.6，設計供水量為每日130萬噸，年缺水率大於10%的發生機率為33%，即約每三年發生一次，年缺水率大於30%的發生機率為7%，即約每十四年發生一次」。

因此，會議就把水資源局的講法全部納入會議結論：

1. 南部地區水源開發計畫中，目前水資源包括曾文水庫、烏山頭水庫與南化水庫等，其原有供水計畫內並未列入本開發計畫用水。又即使南化二期及高屏溪攔河堰工程完工後聯合調配，雖可供水

130萬噸,若供應本開發計畫初期用水每日8萬噸,加上南部地區都市以及所有已開發及開發中工業區之供水,亦僅能維持至民國九十五年以前。至於民國九十五年以後南部地區水資源總量及各項預計水源開發計畫,包括美濃水庫、旗山越域引水計畫及玉峰堰等,仍具有許多不確定性。【綜10】

2. 經濟部水資源局指出「濱南工業區初期供水以南化水庫二期及高屏溪攔河堰工程完工後聯合調配供水,其系統規劃的缺水指數為1.6,設計供水量為每日130萬噸,年缺水率大於10%的發生機率為33%,即約每三年發生一次,年缺水率大於30%的發生機率為7%,即約每十四年發生一次。」

3. 南部地區水資源調配若以移轉農業用水供應,尚有農業用水調度基金、灌溉設施之改善以及用水單位與水利會之協議等問題,仍須繼續推動,且亦需供水設施繼續擴充,仍有不確定性。

4. 由於濱南工業區用水量達每日三十萬噸,雖開發單位提出多項供水風險之限水緊急應變措施,包括設置大型貯水設施、海水淡化廠及制定枯旱時期節約用水與限水生產計畫,但對於農業、其他工業及環境造成之影響應納入評估。【綜10】

5. 開發單位分開設置兩座海水淡化廠是否合宜,以及針對當地海水水質之海水淡化處理技術之可行性,應加以探討。【綜10】

6. 水資源為南部地區民生及工商業發展之限制條件,對於南部目前工業區開發趨勢,以及濱南開發案,是否符合南部地區永續發展之原則應加以衡量。【綜10】

1999年5月28日美濃反水庫鄉親在立法院門口跪求立委刪除美濃水庫預算。提供／中時報系

　　經濟部為了化解這些不確定性，把美濃水庫先期工程計畫經費二億四千萬元編入1999年度總預算，5月28日進入立法院聯席會審查，至當晚九點多，歷經三次表決與歷時三小時的協商，無奈在第四次表決時以95：83通過美濃水庫先期工程預算。夜空下，我們和前來聲援的中華電信工會員工一起隔著圍牆向立法院鳴喇叭表達憤怒！

　　關心台灣環境議題的人，都不會忘記1999年5月28日上午淒風苦雨中，硬頸的客家鄉親跪在立法院門口懇求立委諸公救救美濃的那一幕。

　　前一晚（5月27日），雨淅哩嘩啦下個不停，我跟美濃上來的長輩在教育部地下室餐廳共進晚餐，餐後談起明天怎麼辦？雨，應該不會停，大家已經站了一天了，明天還要站一天嗎？我看了看鍾永豐、鍾秀梅，他們聳聳肩，搖搖頭，我又回頭看了看這些長輩，他們猶豫了好一陣子，泛著淚水告訴我，客家人只有在父母長輩過世的時候，才會下跪。

每次回想到這些情景，我還是會不能自己地流下淚來。

2005年夏天，秀梅結婚，婚禮上久違的美濃鄉親仍無法忘懷這一幕。

2000年陳水扁當選總統，競選期間曾承諾不興建美濃水庫的他，在8月5日到高雄視察民生用水時，提出任內絕不興建美濃水庫的保證，讓美濃反水庫的鄉親鬆了一口氣。但身為台南縣子弟的陳水扁總統，似乎從來不對濱南案表示任何意見！

◎黑面琵鷺及自然保育與漁業及其他
（1998.6.25、1999.1.29、1999.5.15）

環保署把「黑面琵鷺及自然保育」與「漁業及其他」放在同一次會議裡一起討論，對於了解七股地區「生態」的人，一定會覺得很不舒服，講白一點，認為環保署有點刻意也不為過！

力主開發濱南案的人，始終不會忘懷這群讓七股工業區開發計畫壽終正寢的「兇手」──這些被漁民稱為「黑面仔」的黑面琵鷺始終是這些人心中的痛，而「為了幾隻鳥……，那麼喜歡看，人重要還是鳥重要……」成了他們的口頭禪。記得有一次會議中，他們還建議政府比照動物園的做法，製作一個大型櫥窗把黑面仔關起來，讓大家看個痛快，不用讓鳥那麼辛苦，南來北返。

「漁業及其他」，講白一點就是開發單位口中的「補償」、漁民心中的「賠償」。對於反對濱南案的漁民而言，當然是堅持選擇漁業，不要七輕石化與煉鋼廠，可是一旦開發案成局後，不管贊成或反對，看法則是一致的，那就是要求開發單位「賠償」！

　　1998年6月25日，環保署召開「濱南工業區開發計畫第二階段環境影響評估專案小組第四次初審會議」，審查「黑面琵鷺及自然保育」與「漁業及其他」兩項議題。

　　在「黑面琵鷺及自然保育」部分，雖然保育團體一再指出黑面琵鷺主要的棲息地與濱南案廠址所在的潟湖間，係以一條大潮溝相連，加上其他的溝渠、水路，兩地可謂同一水系，一旦潟湖或沿海海域受到污染，將影響黑面琵鷺棲息地。再者，黑面琵鷺活動的範圍包括浮覆地以外，東北方、南38號道路南側的漁塭，甚至在龍山村西側魚塭地，濱南案廠址預定地內都可以發現牠們覓食的蹤跡。可是，開發單位卻認為：黑面琵鷺並未於浮覆地以外區域休息及覓食，亦未曾於廠址發現其蹤跡，廠址亦非黑面琵鷺的覓食範圍……，廠址開發對距離約九公里的黑面琵鷺棲息地，並無直接的影響。

　　沒有交集，加上「黑面仔」又沒有被邀請來開會，「黑面琵鷺及自然保育」議題部分就下了二條無關痛癢的結論：

1. 因各方面對黑面琵鷺之資料蒐集顯現方式及價值判斷均有所不同，且本開發案產生之污染及累積效應對黑面琵鷺生存之影響尚無定論。請開發單位針對與會代表所提問題及參考保育單位所提供之資料加以補正。

2. 有關「黑面琵鷺保育」部份，將於「綜合討論」時納入，與其他議題結合一併審查。

　　在「漁業及其他」部分，「賠償」怎麼談？什麼時候談？怎麼計算？自然而然就成為焦點。部分環評委員與專家學者指出，開發單位所宣稱

的補償項目、座談會內容與鄉民的說法不相符合，應該是未完成範疇界定會議的要求。至於補償問題，多數環評委員與專家學者都認為應該在環評通過前就先談妥。由於補償對象、補償原則、基準及金額等議題沒有清楚交代，甚至連有沒有完成與漁民溝通都各說各話，因此，會議決議：

1. 有關「漁業及其他」部份，退請開發單位補正資料，並針對與會代表所提意見，再提出具體詳實之漁業補償方案。

2. 於後續審查有關「漁業及其他」部份時，將增邀社經調查方面之專家學者參與研商。

1999年1月29日，環保署依據1998年6月25日的會議結論，召開「濱南工業區開發計畫第二階段環境影響評估專案小組第六次初審會議」，增聘了三位社經調查方面的專家學者，參與審查「漁業及其他」議題。審查會中，台南縣漁權會代表指出：漁業統計資料有漁民所得低報的情形，因此開發單位不能僅憑漁業統計資料計算賠償金額，且補償部分必須區分不同受害情形、受害程度大小與範圍，最重要的是要取得漁民的認同與承諾。專家學者甚至認為除了漁民的直接損失應予以補償外，也應該考慮世代經營權利中斷的損失。

在一片質疑聲中，會議做了下列四點結論：

1. 應補充詳細之漁業經濟調查方法並探討其適用性。

2. 漁業經濟調查數據不足，應再加以補充。

3. 應評估漁業經濟效益與本案開發經濟效益之比較。

4. 應評估本案對漁業與總體漁業經濟之影響。

　　1999年5月15日，環保署召開「濱南工業區開發計畫第二階段環境影響評估專案小組第八次初審會議」，再度審查「漁業及其他」議題。

　　審查會中，環評委員與專家學者再度認為開發單位所分析的養殖漁業獲利能力與實際情況相差太大，應正確反應當地實際狀況，補充最新資料。

　　至於漁業權撤銷與補償程序，由於開發單位一再引用漁業法第二十九條，認為漁業權的補償可由開發單位與漁業權人進行協商，若無法達成協議，尚可報請中央主管機關（農委會）裁定，並引用1995年的通霄電廠取排水工程與1996年淡海新市鎮築堤造地工程的補償案為例，強調其適法性。但農委會代表卻表示：應依據漁業法第二十九條規定，先由權責機關確定符合規定條件後才可行使，且開發行為對當地的影響，應該再考量糧食供應與社會安定等功能，而不應僅以產業關聯的觀點來評量。我們也認為漁業法第二十九條規定主管機關可變更或撤銷漁業權的前提，必須是因為「國防之需要」、「土地之經濟利用」、「水產資源之保育」、「環境保護之需要」、「船泊之航行、碇泊」、「水底管線之鋪設」、「礦產之探採」或「其他公共利益之需要」。

　　由於濱南案為私人企業的開發行為，與屬於「公共利益需要」的引用案例截然不同，不可相提並論。即或開發單位意圖以「土地之經濟利用」作為要求主管機關協調或裁定的理由，也必須問問主管機關是否敢介入協調，甚至逕行裁定補償金額。即或從土地經濟利用的角度來看，七股潟湖作為漁業用途的永續價值，難道會比造成不可回復破壞的濱南案來得差嗎？就算開發單位憑產業關聯的高低來誇張土地的經濟利用，那也

是一己之私的想法，果真這套理論說得通，把台灣土地全部變成工業區不是更好嗎？

經過三次審查會的交手，在環評委員、專家學者、當地漁民與環保團體的要求下，列出下列五項結論：

1. 本案涉及有關土地使用的法令定位問題，尤其是漁業法第二十九條部份，將於後續專案小組初審會納入「綜合討論」中，並邀請法規專家針對此部份作討論解釋。

2. 潟湖開發程度及仔稚魚對漁業的關聯性也應納入考慮。【綜10】

3. 在漁業補償方面，對七股當地漁業的瞭解，除了漁業年報之外，應以七股地區實地調查為主，同時提供最新調查資料。【綜11】

4. 補償作業應以協調機制、執行與保證機制的建立及其可行性最為重要。並將對漁民賠償的年限（餘命表）、價格效應及輔導漁民轉業的機制均應一併納入考慮。【綜11】

5. 漁業產業（產值）之關聯性應再重新計算或修正。【綜10】

1999年底有條件通過環評時，審查結論中還在要求開發單位「應明確述明溝通之對象是否已溝通」，就可以想像環評過程中所作的會議結論到底有沒有發揮效用。

◎二氧化碳排放及公害防治與酸雨（1998.7.17）

在「高耗水」的形象外，「高耗能」也是濱南案相當引人注目的議題。

依據經濟部工業局資料顯示：台塑六輕、東帝士七輕與燁隆大煉鋼廠所排放的二氧化碳（CO_2）分別為25百萬噸、18百萬噸與15百萬噸。若以1990年全國使用能源排放出的113百萬噸CO_2為基數，三個計畫的排放量就佔1990年排放量的23%、15.9%與13.3%。

如此龐大的排放量，無疑將成為台灣未來CO_2減量計畫的沉重負擔。

若從對國內生產毛額（Gross Domestic Product；GDP）的貢獻來看，七輕石化廠與大煉鋼廠號稱每年對GDP的貢獻可增加931億與288.4億，看起來似乎不錯，甚至在經濟部所謂的「大煉鋼廠與石化綜合廠是屬於高產業關聯」招牌下，濱南案就像是罩上「創造就業機會，帶動台灣經濟發展」光環的巨星，至於它的負面效應與社會成本負擔，則因量化不易，甚至被迴避不談！

為了呈現問題，我們分別從「產業關聯效果」及「減量成本負擔」兩個面向切入：東帝士七輕與燁隆大煉鋼廠在每創造一百萬GDP，所伴隨排放的CO_2量，分別為193.34噸與520.11噸，分別為1996年全國平均值26.271噸的7.36倍與19.80倍，合計計算則為10.30倍。換言之，經濟部所謂的高產業關聯，若從每噸CO_2排放所創造的GDP來看，濱南案的高產業關聯效果卻不及全國所有產業平均值的十分之一！

在減量成本負擔部分，國際能源總署（IEA）能源技術系統分析計畫（ETSAP），運用MARKAL模型評估2010年OECD各國回歸1990年排放水準的每噸CO_2減量成本均不超出50美元。台灣若要達到目標，勢必大幅降低經濟活動，依環保署研究報告指出：台灣每噸CO_2的減量成本約為OECD的30倍以上，也就是說每噸CO_2的減量成本約為45,000元（新台幣30元＝1美元）。

換言之，未來台灣履行CO_2減量工作時，為減少濱南案東帝士七輕與燁隆大煉鋼廠所排放的33,000千噸CO_2，就得付出一兆四千八百五十億以上的代價，這個代價正好超過濱南案所創造的GDP的12倍以上。這個代價是由全民犧牲經濟活動來支付？還是向業者徵收「碳稅」？或是到時得再由政府制訂獎勵辦法遊說業者減量？

有趣的是，在全國能源會議中一直被質疑的核四與六部核電機組擴充案，依據台電公司所提供的資料顯示：核四計畫後再加六部機組，以取代燃煤機組，可抑低CO_2排放量為5,916萬公噸。與燃氣機組相比，同樣來自台電的資料顯示：核四計畫後再增六部核能機組，可抑低CO_2排放量為3,372萬公噸。因此，從CO_2增減量的觀點，一個濱南案的增量，竟然約等於核四與六部核電機組的CO_2排放抑制量！

當時，我們就提出強烈的質疑：政府究竟是應該促成濱南案，然後強力推動核四，增加六部核能機組來抑制CO_2排放量，引發社會全面抗爭，造成社會動盪不安，或者就直接駁回濱南案，並停止核電計畫？

就在一片撻伐聲中，一手提出「減量目標」的環保署終於在全國能源會議結束後，無法迴避地必須從「CO_2減量」與「如此高CO_2排放量的開發計畫是否與減量目標相牴觸」的觀點來審查濱南案！

1998年7月17日，環保署召開「濱南工業區開發計畫第二階段環境影響評估專案小組第五次初審會議」，審查「二氧化碳排放及公害防治」與「酸雨」。

審查會中，有關「公害防治」與「酸雨」部分，環評委員與專家學者要求開發單位應針對民眾關心的H_2S與NH_3等臭氧氣體，提出減少排放與意外發生時的防範措施，並指出開發單位的報告忽略污染對酸雨的貢

獻，未進行深入評估並制定因應防治計畫。而環保團體代表則指出：為釐清石化、煉鋼等高污染產業所排放的有害空氣污染物對人體健康的影響，開發單位應評估各種有害空氣污染物在排放後，影響環境或人體健康的風險特性，包括評估有害空氣污染物對人體健康的影響，並加以量化，也就是說應該進行有害空氣污染物對人體健康的（致癌性與非致癌性）風險評估，評估結果也應以GIS呈現出來，顯示其流佈範圍與影響大小，據以擬定防制災害計畫與緊急應變等風險管理計畫。

除了風險評估的要求外，依據濱南案範疇界定指引表「社會經濟類——社會環境——公共衛生及安全」規定，開發單位必須蒐集影響區流行病學（學童肺功能）調查資料，但環保團體發現，開發單位不僅未依據範疇界定指引表規定蒐集影響區流行病學（學童肺功能）調查資料，反而拿雲林縣台西國小調查資料（國科會研究報告）來抵充；在【物理化學類——氣候及空氣品質——空氣品質】部分，開發單位所敘述的調查日期（1994年10月22～24日與1997年3月24日）在氣象局台南站所提供的降水量資料中，竟然是沒有下雨！

環保團體代表質疑：沒有下雨、那來雨水PH值測定報告？

至於「二氧化碳排放」部分，專家學者們直接指出開發單位對於全國能源會議的結論並未充分了解，也不應一味以目前「於法無據」為理由，迴避應變措施，甚至要求開發單位「二氧化碳排放」議題應該重寫。

審查會議結論似乎與全國能源會議一樣，不處理「個案」：

1. 二氧化碳部份：【綜10】

（1）本計畫其二氧化碳排放量對環境之影響，應配合政府於「能

源會議」後就二氧化碳排放量所做之政策，對於所設定之總量目標、排放特性、減量成本等，以及相關工業部門之減量時程與實施方向，應加以評估。

（2）對於「能源會議」中所設定之二氧化碳總量目標之評估，開發單位應就二氧化碳排放管制之措施，包括目標、方法、進度、清淨能源、清潔生產技術，以及企業之經營面等，提出具體對策及方案。

（3）開發規模應就上述結果做不同之因應。

2. 公害防治部份：【綜10】

（1）採用最佳清潔生產製程，以減低污染量排放。

（2）污染物之排放除應符合法規標準外，應評估其對環境之影響，並提出因應對策。

（3）本計畫所造成之非點源污染，應妥善加以收集處理。

（4）事業廢棄物應區分有害及一般，自行分類回收處理。

（5）應評估空氣污染物之排放對鄰近古蹟之影響，並提出因應措施。

3. 酸雨部份：本計畫應另外採用推估模式預測酸性物質排放所造成的酸雨問題，並就當地酸雨形成之成因（30%區外及70%當地所引起），及對當地與下游地區之影響加以評估，並提出因應對策。

【綜10】

◎對南科之影響與排水（1999.2.8）

　　海岸濕地具有防洪、調節洪水及防止海水倒灌等功能，濱南案佔用了大量濕地，將使得台南縣海岸濕地的排洪與洩洪功能減弱，增加台南縣海岸洪泛溢淹的機率。此外，濱南案為求自保，填土墊高基地至海平面以上4.8公尺，將造成區域排水不良，並導致沿海其他地區飽受淹水之苦。由於該地區為七股、佳里、西港、麻豆的區域排水匯流的水域，包括七股溪、三股溪及西寮排水均注入潟湖，若填高4.8公尺，將出海口堵死，必然會造成水患。

　　除了影響當地排水的疑慮外，另一個引發關注的議題，就是濱南案對於當時正大張旗鼓推動的台南科學工業園區開發計畫的衝擊。

　　1997年8月15日，蘇煥智在立法院召開「濱南工業區對台南科學園區影響之評估公聽會」，會中台灣大學化工系謝國煌教授發表了一篇《濱南工業區對台南科學園區IC廠製程之影響分析與建議》指出：政府既已在台南縣新市鄉規劃科學園區發展IC產業，便應以發展科技島為目標，不應又在科學園區西北方20公里處規劃兩個對環境品質要求標準不同的產業。謝國煌指出：IC產業是結合電路設計及高潔淨技術的產業，其製程中的空氣純化程度要求，隨著IC的發展，逐年嚴苛。未來IC製程中，空氣中的微粒子含量比目前的class 1還要低，不純污染物的濃度則要求在十億分之一（1ppb）以下；同時，製程中純水的水質更要求1毫升（ml）的水中不得含有0.1微米及0.05微米的微粒子1顆以上。然而，大型的濱南案石化與煉鋼廠在七股地區設立，其排放的懸浮微粒子，大部份為一微米以下（平均為0.4微米）的微粒子。此外，東帝士石化綜合廠每小時排

放二氧化硫（SO_2）2,524公斤、二氧化氮等（NO_2）1,654公斤及多種類的胺類化合物等，如此多種且大量的污染源在七股地區排放，經由空氣中擴散，再經由重力而沈降到大地或河川水庫，就免不了影響到科學園區的IC廠。

在公聽會發表的論文傳出去後，果真引起國科會的關心。

1999年2月8日，環保署召開「濱南工業區開發計畫第二階段環境影響評估專案小組第七次初審會議」，審查「對南科之影響與排水」議題，環評委員與專家學者指出：濱南案的空污排放總量每年達到PM_{10}5,000噸，SOx44,000噸，NOx24,000噸，比台南縣的總排放量還要大，對於未來南高屏總量管制達到PSI＞100的日數低於2%的目標衝擊很大。因此，要求開發單位應評估開發案造成PSI＞100的日數的增量。而政府機關代表則要求開發單位應將排水改道後對青山港造成淤積的影響，以及濱南案排放的懸浮微粒子對台南科學園區的影響納入評估項目，並要求將大寮排水造成影響所需的改善費用納入開發成本。

因為都還未發生？所以，會議結論只是要求開發單位再評估評估：

1. 高空風向與十米高處之觀測風向可能有差異、高空擴散與低空風速模擬資料是否吻合、兩次之高空資料可能不足，應收集更完整之氣象監測資料，包括不同層面高度之風速及風向，以評估對台南科學園區之影響。【綜11】

2. 空氣擴散模式及水體擴散模式之適用性及參數選用是否正確，請開發單位以書面方式詳細補充資料提供參考。【綜11】

3. 分析比較排水渠道（大寮大排）現況及改道後之轉折及排水能力。【綜10】

4. 排水渠道改道後及大寮大排疏洪道引入工業專用港內，是否可能造成青山港及工業專用港淤積，請開發單位詳細釐清。【綜10】

綜合討論　確認結論

至此，十個議題已在過去的專案小組初審會議中完成討論，緊接下來的就是綜合討論，把歷次會議中保留到綜合討論的議題再「拿出來討論」，也把歷次會議的結論來個確認。

以濱南案的環評過程來看，環評委員與機關團體代表能講的，能要求的，都已經講了、要求了；而開發單位想補正的，不想補正的，也都已經差不多了。因此，綜合討論會場的情境就不難想像了。

為了節省篇幅，除了特別把「濱南工業區開發計畫第二階段環境影響評估專案小組第十四次初審會議」決議有條件通過環評的發言記錄另行呈現出來供作歷史評鑑外，其餘的會議，我就只把會議結論確認的事項依序記錄下來，至於確認內容與初審會議結論相同者，已於初審會議結論中標示，不再重複。

◎綜合討論（第九次初審會議。1999.7.23）

1. 本次會議先就專案小組歷次初審會議結論進行討論；有關「區位替代」及「工業專用港替代」部分，因涉及其他議題，暫不討論。

2.「海岸沖刷」及「潟湖」部分，已確認事項如下：

（1）調查及評估應按項目由評估人具體列名簽字。（餘略，詳參「海岸沖刷與潟湖」）

◎綜合討論（第十次初審會議。1999.8.12）

1. 第九次會議確認事項六、「海岸開發計畫應採迴避⋯⋯1.為顧及海岸穩定及生態資源保存，不宜抽取規劃錨泊區海中沙脊之砂源⋯⋯」修正為「海岸開發應採迴避⋯⋯1.為顧及海岸穩定及生態資源保存，不應抽取規劃錨泊區海中沙脊之砂源⋯⋯」。

2.「用水及排水」及「對台南科學園區之影響」部分，確認事項如下：（略，詳參「用水計畫」、「對南科之影響與排水」）

3.「二氧化碳排放及公害防治」及「酸雨」部分，確認事項如下：（略，詳參「二氧化碳排放及公害防治與酸雨」）

4.「黑面琵鷺及自然保育」及「漁業及其他」部分，確認事項如下：

（1）有關「黑面琵鷺保育」部分，請台南市野鳥學會提供資料，與其他議題結合一併審查。

（2）本案開發區域涉及多處海防班哨，請開發單位對影響班哨功能遂行之哨所，提供適當土地，並以「代建代拆」、「先建後拆」方式辦理班哨及營防設施之遷建，俾利海防任務庚續遂行，以維護國防安全。若有涉及海岸管制區等軍事管制區，請開發單位於施工期間依作業規定提出申請，始可進入施

工。開發完成後，再行檢討辦理調整海岸管制區事宜。

（3）台南縣政府承諾將在通過環評確定開發範圍後，協調籌組
「漁業補償協調委員會」處理相關事宜。（餘略，詳參「黑面
琵鷺及自然保育與漁業及其他」）

◎綜合討論（第十一次初審會議。1999.08.26）

1. 有關「區位替代」及「工業專用港替代」部分，因涉及其他議題，
仍暫不討論。

2. 因本案造成之海岸沖淤、河川侵蝕、港口阻塞之補救、補償（賠償）
措施均應由開發單位負責辦理，「並應提出可行之財務分析」。其中
有關「財務分析」提出之時機，保留至後續之專案小組初審會議決
定。

3. 「海岸沖刷」及「潟湖」部分，確認事項如下：（略，詳參「海岸
沖刷與潟湖」）

4. 「用水及排水」及「對台南科學園區之影響」部分，確認事項如
下：（略，詳參「用水計畫」、「對南科之影響與排水」）

5. 「黑面琵鷺及自然保育」及「漁業及其他」部分，確認事項如下：
（略，詳參「黑面琵鷺及自然保育與漁業及其他」）

6. 附帶決議：

（1）有關漁業權損失補償部分，應依漁業法相關規定辦理。

（2）本案專案小組第九次及第十次初審會議結論中，開發單位待釐
清或補正資料項目請承辦單位發函開發單位限期補正。

　　1999年9月2日，環保署依專案小組第十一次初審會議結論發函給開發單位，請依《環境影響評估法施行細則》第十四條規定，於文到40天內釐清或補正下列項目：

1. 在儘量不使用潟湖為原則，本計畫之開發及營運階段對潟湖生態有所影響部分，應有具體減輕及避免對策。

2. 海岸變遷模擬模式應經現有地形之驗證，方可推估未來海岸變化狀況。另外，減輕及因應對策之成效（包括颱風、暴潮及波浪影響推估），亦應評析。

3. 本計畫應對縮減防波堤、減少航道深度、縮小港區規模等提出替代方案。

4. 應補測近岸水深五米以內之地形資料。

5. 在「建議開發計畫以儘量不使用潟湖為原則」下，使用潟湖面積低於23%之方案。

6. 由於濱南工業區用水量高達30萬噸／日，雖開發單位提出多項供水風險之限水緊急應變措施，包括設置大型貯水設施、海水淡化廠及制定枯旱時期節約用水與限水生產計畫。但對於農業、其他工業及環境造成之影響應納入評估。

7. 開發單位分開設置兩座海水淡化廠是否合宜，以及針對當地海水水質之海水淡化處理技術之可行性，應加以探討。

8. 應補充評估合計因開發引致當地發展及整體區域發展後之需水量。

9. 請比較評估本開發計畫30萬噸用水量之產值(供飲用及其他使用)。

10. 水價調昇對開發計畫之衝擊。

11. 評估供水方案不同用水量之開發風險率與開發規模之關係。

12. 分析比較排水渠道(大寮大排)現況及改道後之轉折及排水能力。

13. 排水渠道改道後及大寮大排疏洪道引入工業專用港內,是否可能造成青山港及工業專用港淤積,請開發單位詳細釐清。

14. 本計畫其二氧化碳排放量對環境之影響,應配合政府「能源會議」後就二氧化碳排放量所做之政策,對於所設定之總量目標、排放特性、減量成本等,以及相關工業部門之減量時程與實施方向,應加以評估。

15. 對於「能源會議」中所設定之二氧化碳總量目標之評估,開發單位就二氧化碳排放管制之措施,包括目標、方法、進度、清淨能源、清潔生產技術以及企業之經營面等,提出具體對策及方案。

16. 本計畫應另外採用推估模式預測酸性物質排放所造成酸雨問題;並就當地酸雨形成之成因（30%區外及70%當地所引起）,及對當地與下游地區之影響加以評估,並提出因應對策。

17. 潟湖開發程度及仔稚魚對漁業的關聯性也應納入考慮。

18. 漁業產業（產值）的關聯性應再重新計算或修正。

19. 高空風向與十米高處之觀測風向可能有差異、高空擴散與低空風速模擬資料是否吻合、兩次之高空資料可能不足,應收集更完整之氣象監測資料,包括不同層面高度之風速及風向,以評估對台南科學園區之影響。

20. 空氣擴散模式及水體擴散模式之適用性及參數選用是否正確,請開發單位以書面方式詳細補充資料提供參考。

21. 在漁業補償方面，對七股當地漁業的瞭解，除了漁業年報之外，應以七股地區實地調查為主，同時提供最新調查資料。

22. 補償作業應以協調機制、執行與保證機制的建立及其可行性最為重要。並將對漁民賠償的年限（餘命表）、價格效應及輔導漁民轉業的機制均應一併納入考慮。

◎綜合討論（第十二次初審會議．1999.10.13）

1. 補正資料第一項「在儘量不使用潟湖為原則，本計畫之開發及營運階段對潟湖生態有所影響部分，應有具體減輕及避免對策」、第二項「海岸變遷模擬模式應經現有地形之驗證，方可推估未來海岸變化狀況。另外，減輕及因應對策之成效（包括颱風、暴潮及波浪影響推估），亦應評析。」及第五項「在『建議開發計畫以儘量不使用潟湖為原則』下，使用潟湖面積低於23%之方案。」仍留待下次會議繼續討論外，其餘項目之補正資料洽悉。

2. 以下項目請承辦單位發函開發單位限期補正。

（1）潟湖生態的模擬應儘量引用最新發展之模式或軟體，以及各項最新取得的參數值資料。建議可再利用NETWRK等軟體，將生態系中之能量傳遞來作分析。

（2）應重新模擬海岸地形變遷，並提出減輕對策。

（3）應再評估抽砂造地對環境之影響，以及不抽取海砂之對策。

（4）應預測評估因抽砂填海造成土壤液化之潛在可能性，並提出因應對策。

（5）應說明本計畫區高空風向是否與地面風向一致，以及風場資料來源。

（6）應說明本計畫採用ISC模式模擬之適用性，以及應增加水質模式中對溶氧（DO）的考慮因素（如光合、硝化作用等）。

（7）應增列潟湖中具經濟價值之仔稚魚種個體數量（尾數）之比例等資料於報告書中。

3. 有關海水淡化廠設置乙節，應依環境影響評估法規定，另案提環境影響評估。

◎綜合討論（第十三次初審會議・1999.11.22）

1. 八十八年一月二十九日專案小組會議已就「用水」議題討論，並獲有關結論，並經八十八年八月十二日專案小組第十次會議討論確認。另「海水淡化」廠之興建，已於十月十三日第十二次專案小組決議，應另案實施環境影響評估。

2. 為顧及海岸穩定及生態資源保存，不應抽取規劃錨泊區海中沙脊之砂源。

3. 應考量土壤液化之風險，並加強各項設施之安全設計。

4. 台南縣政府未來運作「漁業補償協調委員會」，應充分尊重當地漁民意見，且在協調未獲共識前，開發單位不得動工。

5. 因本案造成之海岸侵蝕，均應由開發單位負責處理，且應對七股潟湖外之沙洲進行整體之保護。

6. 潟湖之保護應由開發單位訂定計畫（含相關經費之支應）執行。

7. 本案應實施空氣污染總量計畫，該污染總量應以環境影響評估審查核定者為準。

8. 黑面琵鷺之生態影響應持續監測，並對可能不利之影響訂定因應對策。

9. 開發單位應自即日起一個月內補充下列資料：

（1）水質之懸浮固體對藻類、牡蠣及動物性浮游生物之影響，應再補充資料。

（2）生態模擬之模式應用，請參考專家學者之意見補充。

（3）港區面積及配置(含船席)應就海岸衝擊、生態等加以調整。

10. 本案後續審查（含潟湖使用比率、開發規模等），將由專案小組委員、專家學者至現地勘察並召開會議審查決定後提委員會審查核定。

11. 附帶決議：建議相關主管機關儘速就「黑面琵鷺」之保育問題，依法定程序劃設保護區加以保護。

Act Two,
Scene Four

環 評過關 原貌重現

1999~2000

至此，謎底即將揭曉！1999年12月15日，環保署召開「濱南工業區開發計畫第二階段環境影響評估專案小組第十四次初審會議」，為濱南案第二階段環評下了專案小組的結論：建議有條件通過環境影響評估審查。並提出28項應辦事項，7項應補正或修正意見，以及10項附帶決議。

通過環評　附帶條件

專案小組做出結論之後，不到四十八小時，就在1999年12月17日14時30分，環保署召開「環境影響評估審查委員會第六十六次會議」，以臨時提案方式有條件通過濱南案的環境影響評估審查，並就濱南案專案小組的建議結論進行部份文字修正。修正後的結論包括27項應辦事項，8項應補正或修正意見，以及9項附帶決議：

1. 本案有條件通過環境影響評估審查，開發單位應依下列事項辦理：

（1）為顧及海岸穩定及生態資源保存，不應抽取規劃錨泊區海中沙脊之砂源。

（2）因本計畫造成之海岸沖淤、河川侵蝕、港口阻塞之補救、補償（賠償）措施均應由開發單位負責辦理，並應對七股潟湖外之沙洲進行整體保護。

（3）應針對本計畫開發後造成青山港之淤積提出因應對策，並應與漁業單位協商處理對策。

（4）工業專用港之開發，應由工業主管機關另案實施環境影響評估，依法定程序送審。

（5）本計畫產生之廢（污）水不得排入潟湖。

（6）本計畫開發規模龐大，並涉及填海造地工程，對海洋生產力、生態將造成影響，為減輕本計畫對海岸及生態之衝擊，開發單位應以分期分區方式進行開發，且開發初期為興建港灣之需要，最多使用百分之五之潟湖面積外（並需維持北潮口之暢通），餘潟湖面積暫不得使用。

（7）本計畫之開發及營運階段對潟湖生態有所影響部分，應有具體減輕及避免措施。

（8）潟湖之保護應由開發單位訂定計畫(含相關經費之支應)執行，該計畫應送本署會同行政院農業委員會核定後，據以執行。

（9）應持續監測地下水補注及地下水位下降之相關影響，並禁止抽取地下水。

（10）有關海水淡化廠設置乙節，應依環境影響評估法規定，另案提環境影響評估。

（11）本開發計畫對青山港周界之大寮排水之影響，應訂定因應對策，據以執行。

（12）南部地區水資源開發計畫至民國九十五年前，政府每日最多僅能提供本計畫八萬噸用水，開發單位應配合建廠計畫，訂定具體之用水計畫及因應對策。

（13）開發單位應配合政府於「能源會議」後就二氧化碳排放量所做之政策，對於所設定之總量目標、排放特性、減量成本等，以

及相關工業部門之減量時程與實施方向，訂定分期分區建廠計畫據以執行。

（14）應採用最佳清潔生產製程，以減低二氧化碳及污染物排放量。

（15）污染物之排放，除應符合環境保護法規外，應另就其對環境之影響，提出因應對策。

（16）事業廢棄物應區分有害及一般，自行分類回收處理。

（17）應就空氣污染物之排放對鄰近古蹟及台南科學園區之影響，提出因應對策，據以執行。

（18）本計畫應實施空氣污染總量管制計畫，該污染總量應以環境影響評估審查核定者為準；該空氣污染總量管制計畫應另送本署核定。

（19）開發單位應訂定監測計畫持續監測黑面琵鷺之生態影響，並對可能不利之影響訂定因應對策，據以執行；該監測計畫及監測結果應送本署核備。

（20）有關漁業權損失補償部分，應依漁業法相關規定辦理。

（21）開發單位應依台南縣政府設立之「漁業補償協調委員會」所作結論，辦理漁業補償事宜，並應充分尊重當地漁民意見，且在協調未獲共識前，開發單位不得動工。

（22）本案開發區域涉及多處海防班哨，開發單位應提供適當土地，並以「代建代拆」、「先建後拆」方式辦理班哨及營防設施之遷建，俾利海防任務庚續遂行，以維護國防安全。

（23）本計畫若涉海岸管制區等軍事管制區，開發單位應於施工期間依作業規定提出申請，始可進入施工。

（24）本計畫開發完成後，如需調整海岸管制區事宜，應向國防主管機關申請。

（25）開發單位應就施工、營運期間訂定防災計畫，範圍應含陸地及海域，另應考量土壤液化之風險，加強各項建物及其他設施之安全設計。

（26）應於施工前依環境影響評估報告書內容及審查結論，訂定施工環境保護執行計畫，並記載執行環境保護工作所需經費；如委託施工，應納入委託之工程契約書。該計畫書或契約書，開發單位於施工前應送本署備查。

（27）開發單位取得目的事業主管機關核發之開發許可後，逾三年始實施開發行為時，應提出環境現況差異分析及對策檢討報告，送本署審查。本署未完成審查前，不得實施開發行為。

2. 以下意見應補正、修正，經專案小組委員、專家學者討論確認後，納入定稿，送本署核備：

（1）潟湖使用比率及開發規模之調整結果。

（2）環境調查及評估項目應由實際綜合評估者及影響項目撰寫者具體列名簽字。

（3）應明確述明溝通之對象是否已溝通。

（4）因本計畫造成之海岸沖淤、河川侵蝕、港口阻塞之補救、補償（賠償）措施，應提出可行之財務計畫。

（5）水質水理影響因子與潟湖生態系統之交互影響，應再加以評析，並提出因應對策。

（6）海岸淤積、侵蝕之演算範圍，應含括急水溪口至曾文溪口。

（7）海域生態監測項目應增列頂蛇鰻。

（8）應提出本計畫所造成之非點源污染之收集處理方式。

3. 附帶決議：

（1）台南縣政府承諾將在通過環評確定開發範圍後，協調籌組「漁業補償協調委員會」處理相關事宜。

（2）建請經濟部水資源局就供水計畫執行過程，應考量季節性、地區性及各用水標的間之影響等妥為處理，並以民生用水為第一優先。

（3）建請經濟部水資源局應與地方政府協商水源之調配。

（4）建請經濟部水資源局應考慮枯水期調配水源之優先順序，尤應注意台南縣農業用水之需求影響。

（5）於民國九十五年以後南部地區水資源總量及各項預計水源開發計畫，包括美濃水庫、旗山越域引水計畫及玉峰堰等，仍具有許多不確定性，建請經濟部水資源局妥善處理供水問題。

（6）水資源為南部地區民生及工商業發展之限制條件，對於南部目前工業區開發趨勢，以及濱南開發案是否符合南部地區永續發展之原則，建請經濟部應加以衡量。

（7）建請工業主管機關於後續申請工業專用港開發時，應就縮短防波堤，減少航道深度、縮小港區規模等加以考量。

（8）空氣污染及二氧化碳之排放總量，應分期核定。

（9）本案後續之環境影響評估監督作業，應成立監督委員會為之，監督時，尤應注意海岸沙洲、潟湖之保護。

回顧過程 一團迷霧

　　回顧歷次的初審會議與綜合討論，具有關鍵性的「區位替代」、「工業專用港替代」與「潟湖」等議題討論，並沒有被完整地處理。

　　就「區位替代」與「工業專用港替代」兩項議題來看，1998年4月7日專案小組第一次初審會議結論：若涉及「區位替代」與「工業專用港替代」部份，可併案討論，必要時可於綜合討論時納入。到了綜合討論階段，1999年8月26日專案小組第十一次初審會議綜合討論有關「區位替代」及「工業專用港替代」時，會議結論仍是：暫不討論。後續的第十二、十三、十四次初審會議綜合討論依然沒有處理「區位替代」及「工業專用港替代」議題。

　　至於「潟湖」議題部分，1998年7月9日專案小組第二次初審會議結論：在儘量不使用潟湖的原則下，本計畫之開發及營運階段對潟湖生態有所影響部份，應有具體減輕及避免對策。1999年8月26

↑1999年12月環保團體推出黑面琵鷺參加千禧年總統大選。
提供／中時報系

日專案小組第十一次初審會議綜合討論確認事項仍然維持同一原則：以模式模擬本開發計畫使用潟湖面積比率結果，不論任何使用潟湖比率（5%、10%、15%、20%、25%、30%）對潟湖生態均有影響，其中潟湖使用面積比率百分之五就等於將北潮口堵塞，潟湖之潮口堵塞與否為影響潟湖生態之關鍵因素，建議開發計畫以儘量不使用潟湖為原則。

但1999年9月2日環保署依專案小組第十一次初審會議結論發函給開發單位釐清或補正資料時，卻莫名其妙地出現：在「建議開發計畫以儘量不使用潟湖為原則」下，使用潟湖面積低於23%之方案。

以至於最後逆轉成：開發初期為興建港灣之需要，最多使用百分之五之潟湖面積外（並需維持北潮口之暢通），餘潟湖面積暫不得使用。

這其中，到底隱藏什麼玄機？

原貌重現　歷史評鑑

為了呈現原貌，在此特別把1999年12月15日「濱南工業區開發計畫第二階段環境影響評估專案小組第十四次初審會議」決議有條件通過環評的發言內容，自環保署發送的會議記錄轉錄下來。

當天由環保署吳義雄副署長擔任主席，應到的環評委員有十五人，實際簽到者有四位，應到的專家學者有十五人，實際簽到者有五位，其他出列席的官方代表有農委員、國科會、經濟部工業局與台南縣政府。會議記錄（僅呈現出列席者）如下：

WI委員：幕僚作業單位之建議文字第十九項，「……並對可能不利之影響訂定『並執行』因應對策」應加入：「並執行」。

LZ委員：本計畫專案小組審查次數已達十三次之多，以往審查重點著重生態、潟湖、水源、工業污染等項，似從未提到施工時期及營運時期之防災計畫，由於本計畫涉及陸地及海域兩方面，防災計畫應包括陸地及海域部份，擬請開發單位對此多加注意，提出確實需要的防災計畫，尤其本基地鄰接強震區域，防震計畫宜專案提出。

HS委員（書面意見）：

1. 本案已開過多次會議，建議開發單位能將不同替代方案（例如「使用潟湖%」），以表格方式，摘述各環境因子之影響，然後再由委員們整體性的考量全貌再討論並作最後的決定。

2. 基於下列理由，本案開發不應使用潟湖地區：

  （1）潟湖係公有、未登錄土地，依土地法規定，海岸土地應為國有。

  （2）七股潟湖為台灣西海岸珍貴的海岸資源，應保留供大眾接近（public access）之景觀及資源保育地區。

  （3）目前潟湖係以養蚵為主要利用行為，並兼有觀光活動。即使使用部份之潟湖地區均可能影響目前潟湖的功能（養殖、生態、景觀）。濱南工業區若要開發，則不應佔用、破壞潟湖，亦不應排放污水至潟湖。

CH教授：

1. 生態模擬已有進步，有些已可接受。

2. 七股地區不宜抽用地下水做為工廠用水，此處為台灣西南沿海地

層尚未下陷者。

3. 保育項目下宜加入稀有動物之保育,如土龍、毛蛤及紅樹林等等。

4. 漁業權之損失,最好能改成漁業損失。

5. 潟湖使用面積應減少到只能容許工業港與鹽田之間的連絡棧道而已,或是充其量只能使用大寮排水道以北之潟湖,但仍要維持北潮口之暢通與疏濬。

SK教授:

在補正資料中開發單位雖然根據上次意見作了修正,包括增加細菌及底下動物兩族群重作模擬,但很遺憾開發單位的模擬還是錯誤不少,無法採信,主要包括:

1. 利用開發單位所提供之輸入參數資料(表一、二)重新用ECO-PATH計算,發現EE(Ecological Efficiency)為1.24超過1.0,表示該模式為錯誤的,根本不能用,當然也就不能繼續利用ECOSIM作下去,後面的結果均是錯的。

2. 細菌及底土動物之食性組成引用數據仍有質疑之處,如肉食性浮游動物可吃25%之細菌等。

3. 我們利用原來十三個Compartment之參數,外加開發單位使用之懸浮物及重金屬污染重作模擬,發現結果與補正資料的結果大相逕庭,亦即施工後,草食性魚類會消失,肉食性魚類只剩1%,再過十年才會恢復到2%,到十五年後肉食性魚類才回到7%,二十年後肉食性魚類又減到6%,三十年後只剩5%,四十年後再回復到30%,系統很不穩定。

4. 本人上次提出最好要用「NETWRK」是美國ULANOWITE所發展

的模式，與ECOPATH中所附帶的「NETWORK」兩個軟體是不同的軟體，前者才能夠詳細得到系統之能量來源、生態系特質，且由係數值可判斷系統抗壓及受干擾程度之影響等，且系統要與其他系統作比較才比較有意義。

此外就開發單位的質疑原十三類生物中計算所得之基礎生產力偏高，換算turn over rate太高的問題作以下答覆；這也是何以個人過去幾次一再強調的，現今很多配合的基礎背景或參數資料十分不足，故在作生態系模擬也只能由簡而繁，由粗到細。由於七股潟湖的漁獲量超高是事實，主要的營養鹽來源是浮游植物亦無疑義。但仍可能還有其他的input還未列入（如紅樹林等）。也因此ECOPATH為balance model自然把input都歸到浮游植物項目上。由此亦可知目前再作如何模擬，獨特的七股潟湖生態系（台灣唯一未受污染的潟湖生態系）還是有可能會受到衝擊而從此消失。站在precaution之理由，個人還是要求「不要使用潟湖」而非「儘量」不使用潟湖為原則。

YS教授：

1. 七股潟湖係台灣珍貴之資源，應作永續之保育，因此，本開發案不應使用潟湖，以及破壞潟湖之生態系統。

2. 本開發案所需之用水量不可排擠民生用水，開發單位應提供具體之分期用水需求以及供水來源，並建請水資源主管機構審慎審查，慎重考慮用水標的，用水地區以及季節性之供水調配，供水之調配應以民生用水為最優先。若民生用水需求無法滿足時，本開發案應縮小規模或提出具體可行且符合環保要求之海水淡化計畫，再者，應明確規定不得抽取地下水。

3. 工業港建設計畫和海水淡化計畫之環境影響評估應併入本開發計畫之環評審查。

4. 開發單位應提出抽砂計畫,並評估其對海域之衝擊與提出因應對策。

5. 建議環保署儘速發函農委會及相關主管機關儘速依法定程序劃設「黑面琵鷺保護區」。

SW教授:

1. 使用潟湖必然造成「無可回復的」結果,減損後代人的機會與權益,亦即不是「永續的」發展模式;依據國科會長期研究結果顯示,七股潟湖的生產力為珊瑚礁的四十五倍,環保署也曾委託台大張長義教授劃定重要潟湖、沙丘、沙洲,其中含括七股潟湖,因此潟湖應不應使用。

2. 另有關相關應用模式所引用參數或考慮項目,尚不足以含括所有項目,以美國環境品質委員會(CEQ)之專例,爭議不休的案件應予擱置。

3. 本案替代方案始終未有適當著墨,建議就工業港、漁港或可能之箱網養殖區等,併同工業區移至外海,再以棧橋與本島連絡。

4. 設若非使用潟湖不可,亦不得超過5%潟湖面積,應採取等面積彌補措施。

FK教授:

本案不論利用潟湖多少比例,都將加速潟湖生態之死亡,剝奪了今日及將來使用潟湖者的權益,本案應以不使用潟湖為原則。

　　行政院農業委員會：第十三次會議LJ委員所表示意見，並未列入會議記錄，應請列入，有關黑面琵鷺保育問題，本會持續協調台南縣政府依野保法提報保護區保育計畫，而此保護區是否劃設與環評要求開發單位之精神無關，請將第十三次會議記錄中之「附帶建議」事項刪除。

　　台南縣政府：幕僚作業單位之建議文字第二十一項台南縣政府協助開發單位籌組「漁業補償協調委員會」辦理漁業補償及漁業救濟相關之事宜，並應充分尊重當地漁民意見，在協調未獲結論前，開發單位不得動工。

　　很清楚地，有關潟湖的使用，從專案小組歷次會議結論逆轉成為可以使用百分之五，由WI委員與台南縣政府代表的發言記錄中，似乎可以看出一些端倪。環保署若早有定見，何苦勞師動眾開了那麼多次的會議。

　　此外，對於工業專用港與海水淡化廠的開發，竟然是以「應依環境影響評估法規定，另案提環境影響評估」作成結論，無視工業專用港與工業廠區，生產用水計畫與海水淡化廠間的唇齒關係，大鑽《環境影響評估法》第十五條「同一場所，有二個以上之開發行為同時實施者，得合併進行評估。」「得」字的漏洞！

　　至於關係漁民權益的漁業損失賠償，在結論中決議「（20）有關漁業權損失補償部分，應依漁業法相關規定辦理。」與「（21）開發單位應依台南縣政府設立之「漁業補償協調委員會」所作結論，辦理漁業補償事宜，並應充分尊重當地漁民意見，且在協調未獲共識前，開發單位不得動工。」可是在應補正、修正資料中又列入：「（3）應明確述明溝通之

對象是否已溝通。」且在附帶決議中加註「(1)台南縣政府承諾將在通過環評確定開發範圍後,協調籌組『漁業補償協調委員會』處理相關事宜。」到底是應該先完成溝通才能算完成環境影響評估程序?或者只要老實說有沒有溝通就算完成程序?完全無視範疇界定會議的要求,也完全無視於多位環評委員所提「應該在環評通過前就先談妥」或「在環評通過前就補償對象、補償原則、基準與金額等有清楚交代」的主張。

　　未來,在這個純樸的海邊是不是會出現鎮暴警察為開發業者的推土機開道的畫面?

　　環評有條件通過時,我們被排拒在門外,不得其門而入;獲悉結果後,我們悵然離開,也許這是台灣環保運動的宿命?

　　當我們還在計畫要不要提出要求環評委員在會議中具名表決濱南案去留,為歷史留下見證的時候,濱南開發案卻在不到四十八小時之後,就通過了,連提出要求的話都來不及講!

　　2000年1月7日,環保署將《濱南工業區開發計畫環境影響評估報告書(初稿)》審查結論函送開發單位,要求開發單位就環境影響評估審查委員會第六十六次會議結論檢送補充資料。

第三幕 · Act Three

2006

攝影／王徵吉

Act Three,
Scene One

環 評定稿 一波多折

2000~2006

2000年1月7日，環保署將《濱南工業區開發計畫環境影響評估報告書（初稿）》審查結論函送開發單位，要求開發單位就環境影響評估審查委員會第六十六次會議結論檢送補充資料。

4月5日，開發單位將補充資料函送到環保署。

五二〇前夕

4月26日，環保署召開「濱南工業區開發計畫環境影響評估報告書定稿確認審查會議」，然而會議卻以開發單位所提資料明顯不足，決議不進入實體討論，並請開發單位依環評委員及專家學者所提書面意見補正後再議。

↑2000年4月26日環保團體上午到環保署陳情，要求停止審查濱南案，留待新政府來決定。提供／中時報系

　　由於環評報告書定稿的確認會議時間，安排在政黨輪替之後，新舊政府交接前夕，難免會引起不必要的聯想。包括七股海岸保護協會、中華鳥會、台南縣野鳥學會、台南環保聯盟、台灣綠色和平組織、台灣環保聯盟、主婦聯盟、美濃愛鄉協進會、看守台灣協會、動物社會研究室、濕地保護聯盟、國際黑面琵鷺救援聯盟（SAVE-Taiwan）、環境信託協會、自然生態攝影學會、生態保育聯盟等15個環保團體代表，以及立法院永續發展促進會趙永清、陳學聖、朱惠良與蘇煥智等立法委員聯袂前往環保署，針對環保署意圖在新舊政府交接前夕讓濱南案闖關表達不滿外，也一致要求環保署停止審查並將這個頗具爭議性、影響深遠的濱南案留待新政府來決定。

　　環保團體並指出，監察院於4月17日財政及經濟委員會第三屆第三十次會議中決議對環保署處理濱南案環評諸多不當情節提出糾正，環保署應立即就該等缺失提出補救措施，不應一錯再錯，造成不可彌補的遺憾。

　　不曉得是環保團體與立法委員抗議有效，還是監察院的糾正函有效，還是政黨輪替的關係，還是一切真的如會議結論所說的「因開發單位所提資料明顯不足，會議決議不進入實體討論，並請開發單位依委員及專家學者所提書面意見補正後再議」。

　　2006年1月19日政黨輪替後的「新政府」真的作了決定！

遲來的正義

在濱南案以「附帶條件」方式通過環境影響評估後，我們發現監察院對於濱南案相關的台南縣政府、經濟部工業局與環保署提出了二項糾正案。

雖然是遲來的正義，但也仍算是正義！

◎海岸土地劃設　糾正南縣府

針對海岸一定限度內不得為私有土地的問題，監察院財政及經濟委員會於2000年1月7日第三屆第二十三次會議，針對台南縣政府於1997年12月8日縣務會議決議在「臺南縣海岸一定限度內不得為私有土地之劃定作業要點」中增加第八點「經政府專案核准重大計畫不適用該要點」，顯然有為濱南案的開發預設立場，及經濟部工業局在台南縣政府未完成海岸一定範圍不得私有土地劃設前，即作成濱南案土地可讓售的決議，提出糾正案。內容如下：

1. 台南縣政府為劃設海岸一定限度範圍內不得私有之土地範圍，訂定「台南縣海岸一定限度內不得為私有土地之劃定作業要點」，然於八十六年十二月八日之縣務會議卻決議增加第八點：「經政府專案核准重大計畫，不適用該要點」，顯然為濱南工業區之開發案預設立場，殊屬可議；土地法第十四條規定：「左列土地不得為私有：一、海岸一定限度內之土地。」，複查土地法施行法第五條規定：「土地法第十

四條第一款至第四款所謂一定限度，由該管市、縣地政機關會同水利主管機關劃定之。」，其中土地法係於十九年六月三十日公佈，土地法施行法則於二十四年四月五日公佈，自該二法公佈迄今，台南縣政府仍未依上開法條規定，劃定海岸一定限度內之不得私有之土地範圍。內政部於八十六年七月廿八日召開「研商為因應本次續辦公地放領查註作業，有關土地法第十四條第一項第一款至第四款『一定限度』如何劃設會議」，會中作成決議略以：「請各縣市政府迅即就行政轄區內土地全面檢討，劃設上開不得私有之土地並予以公告」，台南縣政府雖據此於八十六年十一月十四日邀集中央及地方各有關機關共同會商，訂定「台南縣海岸一定限度內不得為私有土地之劃定作業要點」，**卻於八十六年十二月八日之縣務會議決議增加第八點：「經政府專案核准重大計畫，不適用該要點」，該府表示此一重大計畫即為濱南工業區，在環境影響評估未通過前不得而知其範圍，即預先設此「濱南工業區條款」殊屬可議。**

2. 工業局於台南縣政府未完成海岸一定範圍不得私有土地劃設前，即作成土地可讓售之決議，顯非允當：前項劃設作業未完成前，工業局即於八十三年六月十六日邀請國有財產局、台灣省政府建設廳、台南縣政府及台鹽實業股份有限公司等單位進行濱南工業區預定地之現場會勘，並召開「勘察燁隆等企業編定工業區使用國有土地事宜」會議，會中並作成決議略以：「台南縣七股鄉海埔地之國有土地，原則同意由燁隆等企業依促產條例有關規定申請編定為工業區，俟奉行政院核定後，依有關規定辦理土地讓售事宜。」（詳見經濟部工業局八十三年七月四日工八三五字第○三○三一九號函），揆之該會議記錄，顯

然未將土地法第十四條之規定納入考量，此一情形日後若經地政機關將該工業區之全部或部分土地劃為不得私有之範圍，致興辦工業人基於對前揭會議決議之信賴，則政府與興辦工業人兩造之紛爭將無可避免。工業局未究及此，顯非允當。

3. 台南縣政府圖以先編定工業區，再以工業區區界劃定海岸一定限度內不得私有之土地，顯然迂迴脫法：復查促進產業升級條例施行細則第六十八條規定：「投資開發工業區之公民營事業、興辦工業人或土地所有權人申請核准編定之工業區範圍內公有土地，由各該公有土地管理機關辦理讓售。」是以濱南工業區之開發案而言，若以土地法而論，自有部分土地不得私有，惟若以促進產業升級條例施行細則而言，該工業區之土地卻可讓售，形成行政命令與法律二者顯不相容。經本院於八十八年十一月二十四日約詢工業局、水資源局、台南縣政府等單位，始發現彰化縣之劃設係彰濱工業區先行編定，再以該工業區區界為準，劃設海岸一定限度內不得私有之土地，是以台南縣政府所訂「台南縣海岸一定限度內不得為私有土地之劃定作業要點」第八點之排除條款，顯然意圖循彰濱工業區之模式，為濱南工業區之開發案解套，工業局對上開法令互不相容問題，不思循修法途徑解決，反而縱容地方政府、開發單位敗壞法紀，立下迂迴脫法不良示範，違失之咎甚明。

——監察院（八九）院台財字第892200024號

監察院糾正案是有人去陳情？還是監察委員主動調查？不得而知！但確定的是，現在去檢視《促進產業升級條例》就可以發現，工業專用港及工業專用碼頭內土地已經不能租購，僅能租用。

對許多參與環保運動的人而言，《促進產業升級條例》常常被簡稱為「促升」條例，有別於官方所稱的「促產」條例。

◎環評草率過關　糾正環保署

針對濱南案第二階段環境影響評估是否已超過法定期限？環保署是否已依法要求開發單位限期補正資料？是否應在未於期限內補正資料或補正資料未符合規定的情況下，駁回開發案等？監察院財政及經濟委員會於2000年4月17日第三屆第三十次會議決議對環保署辦理濱南工業區開發案環境影響評估審查，未將例假日併計為審查期限；又擅以會議結論，踰越母法授權；且於具有空氣污染防治專長的環境影響評估委員未出席開會；另出席審查會的委員僅四人且其中三人均反對使用潟湖情形下，仍草率通過環境影響評估，提出糾正案。內容如下：

1. 行政院環境保護署（以下簡稱環保署）以扣除例假日方式計算環境影響評估法定審查期限，無視民眾權益，核有違失：經濟部工業局（以下簡稱工業局）前於八十五年二月十五日以工（八五）五字第〇〇六二九五號函送「濱南工業區（精緻一貫作業鋼廠、石化綜合廠及工業專用港）開發計畫替代方案環境影響說明書」予行政院環境保護署（以下簡稱環保署）。該案經開發單位於同年三月十三日繳交審查費，復由環保署於四月十九日召開專案小組初審會議，並於五月六日經環保署環境影響評估審查委員會第二十六次會議討論作成環境影響說明書審查結論，決議該案「有條件繼續進行第二階段環境影響評估」，其審查期間共計四十四日。嗣後，該署即依環

境影響評估法第七條規定於八十五年六月五日以（八五）環署綜字第三一一一五號函公告該案之環境影響說明書審查結論，並通知工業局。該局遵照該審查結論於八十六年十二月三十日依環境影響評估法第十三條規定，函送「大東亞石油化學股份有限公司」及「燁隆集團」之「濱南工業區開發計畫環境影響評估報告書」（以下簡稱評估書）初稿及該局辦理該案之現場勘查及聽證會記錄至環保署，經環保署初審後於八十七年二月九日函請開發單位補正及依「環境影響評估書件審查收費辦法」繳交審查費。開發單位復於八十七年二月十八日依環保署函示辦理後，該署即對該案之環境影響評估進行實體審查。八十七年二月二十七日環保署函送評估書初稿徵詢環境影響評估審查委員會專案小組（以下簡稱專案小組）成員之意見。環保署遂依該小組成員之意見及開發單位就該等意見之補充說明，將該案之環境影響評估分六項議題及綜合討論方式辦理。全案原預計召開四次專案小組初審會議後，提環境影響評估委員會專案小組討論，然八十七年三月十九日立法委員蘇煥智去函該署略以：「分六組審查猶嫌不足，建議增為十組，較能探討問題之癥結」，嗣後該署經與三位專案小組召集人商討，同意分成十項議題及綜合討論方式進行審查。全案即自八十七年四月七日起召開第一次專案小組初審會議，至八十八年十一月二十三日止，已召開十三次專案小組初審會及三次學者專家會議，其中第十三次初審會議，其結論要求開發單位應於一個月內再行補送相關資料，據以辦理後續之審查。綜上，該案開發單位自八十七年二月十九日補正評估書資料並繳交審查費後，至八十八年十一月二十二日召開第十三次初

審會議止，若以日曆天計算，其審查期間業已超過環境影響評估法第十三條：「目的事業主管機關應將前條之勘查現場記錄、聽證會記錄及評估書初稿送請主管機關審查。主管機關應於六十日內作成審查結論，並將審查結論送達目的事業主管機關及開發單位；開發單位應依審查結論修正評估書初稿，作成評估書，送主管機關依審查結論認可。前項評估書經主管機關認可後，應將評估書及審查結論摘要公告，並刊登公報。但情形特殊者，其審查期限之延長以六十日為限」之規定。環保署於八十八年十二月十三日接受本院約詢時，主張將該等期間之例假日及全國能源會議結論未完成前之日期不計入審查期間。若依該署之計算方式，截至八十八年十一月二十二日為止，實際審查期間為一一○天，尚未逾越法定最高一二○天之上限。然查審查期限因情形特殊而延長者，主管機關環保署應於一二○天內作成審查結論，前揭環境影響評估法第十三條就系爭期限之規定，本諸文義解釋之優先性，並無疑義。而該項期限規定，屬於行政行為之「期間」性質，復經本院八十八年十二月十三日約詢環保署證述在案。果爾，則期間之起算與終止無論是類推適用民法，抑或以環境影響評估法及其相關子法而言，均無期間進行中之計算扣減例假日之相關依據。環保署未究及此，竟於欠缺法令授權情形下，擅自將例假日扣除，置民眾權益於不顧，核有違失。

2. 環保署擅以會議結論，踰越母法所定之審查期限，顯非允當：環保署於八十八年十一月二十二日召開第十三次初審會議後，經扣除例假日核算該案審查期限已達一一○天，距法定審查期限一二○天僅剩十天，該署為解決此一問題，不思循修法途徑，將審查期限之計

算及其扣減事由,明確規範,以符行政行為明確性原則並能因應個案差異俾彈性處理,竟於八十八年十一月二十五日召開「有關環境影響評估案件審查原則研商會議」時作成決議略以:「環境影響說明書或環境影響評估報告書初稿,因開發內容影響層面廣泛、複雜度高,於審查過程中,有逾審查期限之虞者,經開發單位要求繼續審查,並經本署環境影響評估審查委員會同意後,雖逾審查期限,應繼續審查。」揆之該決議並無環境影響評估法上之授權依據,且明確違反該法第十三條之規定,顯非允當;又決議「繼續審查」並未設一定期限,顯然無視法定審查期限之存在。

3. 環保署未建立有效機制,對於專案小組遲不作成決議之情形,束手無策,卻於審查期限壓力之下,草率通過環境影響評估審查,衍生諸多爭議,顯非允當:查本案專案小組自八十七年四月七日起,計召開十三次初審會,然各次會議遲遲均未作成決議,卻一再要求開發單位補正資料。此一情形,環保署於八十八年十二月十三日接受本院約詢時表示:「**初審會會作如何結論,我們幕僚作業無法預期**」、「他們為任期制,任期二年。目前沒有監督環評委員的機制。」是以環保署對於專案小組遲遲無結論顯然束手無策。該署為全國最高之環境保護主管機關,專司環境保護法令之制定與制度之建立,然面對此一問題時,不思積極建立有效機制,以促專案小組積極審查,卻因審查期限之壓力,倉促於八十八年十二月十七日十四時三十分以臨時提案方式就該案審查結果,其結論為有條件接受環境影響評估審查。揆之該等結論所提附帶條件雖計列二十七項,要求開發單位修正、補充事項計八項,涉及政府權責事項,列有附

帶建議九項,然查其審查結果無定案之疆界,即開發案確切之位置、面積、規模均未確定,實顯過程草率,茲分述其中爭議之點如左:

(1)本案有關二氧化碳之排放,因涉及聯合國氣候變化綱要公約、我國在全球一三五個主要國家中,二氧化碳排放量高居全球第二十四位及區域性空氣品質保護之考量,有關污染性氣體之排放,本應徵詢空氣污染防治專家之意見,審慎審核。然查環保署環境影響評估委員會中具有空氣污染防治專長之委員僅一位,該委員除於是日未出席審查外,經查環保署歷次就本案舉辦之環境影響評估審查會共十四次(八十七年四月二十四日、八十七年六月二日、八十七年六月十五日、八十七年六月二十五日、八十七年七月九日、八十七年七月十七日、八十八年一月二十九日上午、八十八年一月二十九日下午、八十八年二月八日、八十八年五月十五日、八十八年七月二十三日、八十八年八月十二日、八十八年八月二十六日、八十八年十月十三日),該委員亦無參加記錄(會議記錄並無該委員之簽名),此一情形,該署並未謀求因應對策(如:更換審查委員、催告履行義務),非屬有當。

(2)有關潟湖之使用,歷次初審會結論中最重要者為:「以模式模擬本開發計畫使用潟湖面積比率結果,不論任何使用潟湖面積比率(百分之五、百分之十、百分之十五、百分之二十、百分之二十五、百分之三十)對潟湖生態均有影響,其中潟湖使用百分之五就等於將北潮口堵塞,潟湖之潮口堵塞與否為影響潟

湖生態之關鍵因素，建議開發單位以儘量不使用潟湖為原則。」然環保署於八十八年十二月十五日舉辦本案十四次初審會時，對此關鍵性議題，竟於環境影響評估審查委員會審查委員僅四人出席情形下，即召開會議，且於其中三位委員均發言表達反對使用任何比例潟湖之意見下，該署仍通過該開發案之審查，致外界對於審查會究竟應採「多數決」抑或「共識決」甚或由環境影響評估委員會主席本於職權為最終之決定存有疑義，然該爭議發生迄今，該署仍未於環境影響評估相關法令中明文規範，並非有當。

（3）環保署表示：潟湖以作為港區為限，然依法工業港仍須另提環境影響評估案，且須耗費相當時日方得完成。查濱南工業區與工業港之開發，二者具有相輔相成之主從關係，若無工業港之興建，則濱南工業區正式量產亦無以實現，且潟湖使用百分之五之限制，可能迫使開發單位取消煉鋼廠部分開發，環保署對此雖為明知，卻未要求開發單位同時提出「濱南工業區」與「工業港」之環境影響評估以利縮短審查時程，形成「濱南工業區」通過環境影響評估後，仍無以確定「工業港」是否可資興建？此不確定因素除影響業者投資意願外，亦凸顯該署環境影響評估委員會之審查效率低落，應檢討改進。

（4）環保署依環境影響評估法組成「環境影響評估審查委員會」，其目的係藉由專家學者之公正超然立場，為開發行為善盡預防污染之把關責任。尤以環境影響評估委員受託行使公權力，本應負責盡職，奉獻智慧，審慎審查，方不負全體納稅義務人之

付託，然查部分審查委員長期出席率偏低（不論初審或大會審查），卻仍有寬裕時間接受該署之委託研究計畫，棄守環境影響評估把關之責任，然該署卻不思訂定相關法令以資規範，殊有未當。

綜上論結，本案環保署於欠缺法律授權情形下，竟將法定環境影響評估審查期限之上限，擴大解釋為不計例假日期間，又擅以會議結論，排除母法對於審查期限之規定，而對於二氧化碳排放之重要議題，於具有空氣污染防治專長之環境影響評估委員長期未出席開會情形下，草率通過環境影響評估，前揭情節，核有失當。爰依監察法第二十四條規定，提案糾正行政院環境保護署，函請行政院轉飭所屬改善見復。

——監察院（八九）院台財字第892200294號

←↑雖然環評已有條件過關，但環保團體的堅持仍然不改變。2000年11月27日環保團體與七股鄉親在七股海岸保護協會召開記者會，黃銘欽教授堅持不讓濱南開發案污染自己的故鄉。提供／中時報系

　　1999年8月27日，我與生態保育聯盟召集人林聖崇，到監察院向輪值的馬以工委員陳情，陳請重視環保署在處理濱南案環境影響評估過程中的諸多缺失，不曉得糾正案是不是因為我們的陳情而起。

　　環保署在獲悉我們的陳情後，1999年9月2日發出去的函件，就明確要求開發單位應在四十天內釐清或補正資料，而1999年12月15日開完專案小組第十四次會議後，隔不到四十八小時就把濱南案以臨時提案的方式交付環評委員會議處理，是環保署在「可計時」與「不可計時」下，總計120天的最後期限。

　　糾正案裡還有一項需要特別點出的是，文中提到環保署官員在1999年12月13日監察院約詢時表示：「初審會會作如何結論，我們幕僚作業無法預期」，但回頭去檢驗環保署1999年12月15日專案小組第十四次初審會議記錄，卻發現會議中環評委員與機關代表的發言中皆指出幕僚作業單位在專案小組初審會結論中所扮演的角色。

　　雖然這個糾正案無法扭轉濱南案有條件通過環評的事實，但糾正案之後，環保署修正了《環境影響評估法施行細則》第十五條條文，並增訂了《環境影響評估法》第十三條之一條文。

　　有了這些增修訂條文後，再也不會有審查期限的問題了！

定稿多波折

　　政黨輪替，新舊政府完成交接後，濱南案環評的後續作業並沒有因為「綠色執政」而停了下來。

　　因為，環保署已經將開發單位環境影響評估初稿的審查結果送達經濟部與開發單位，而開發單位也已經依審查結論提出補充及修正後的評估報告書，送環保署認可。因此，環保署還有後續的認可、公告評估書報告書審查結論及摘要等程序要進行。

◎補充再補充

　　2000年6月6日，開發單位依據4月26日「濱南工業區開發計畫環境影響評估報告書定稿確認審查會議」結論，提出《濱南工業區開發計畫環境影響評估審查委員會第六十六次會議八項應補充修正意見資料》。

　　7月4日，環保署將開發單位提出的資料函送給環評委員及專家學者。

　　8月7日，環保署把彙整後的《濱南工業區開發計畫環境影響評估審查委員會第六十六次會議八項應補充修正意見表》函送開發單位。環保署函送的應補充修正意見共有十八項，包括「開發單位所提的資料並未觸及海岸沖淤演算結果及影響」、「開發單位所提海岸保護設施，因防波堤已將由北向南沿岸漂砂完全切斷，在無砂源可補充下，難以達到海岸保護的目的」、「開發單位辦理的水工模型試驗，因模型比例尺太小，造波時間不足，其結果信賴性可疑」等。

　　10月30日，開發單位檢送《濱南工業區開發計畫環境影響評估審查委員會第六十六次會議八項應補充修正意見書面意見答覆說明》給環保署。

　　在書面意見一來一往之後，11月29日，環保署終於召開「濱南工業區開發計畫環境影響評估審查委員會第六十六次會議八項應補充修正意見

審查會議」。

審查會中，專家學者除了點出開發單位答覆意見中關於生態系模式的模擬部份仍有不少錯誤外，也認為七股潟湖因大環境的影響已出現加速變遷的現象，潟湖的水理、生態都已與過去有所不同，應該重新作評估；該學者表示：他不同意此次會議是定位在「環評已通過，只是在修訂定稿」而已，他相信大多數委員均未同意本案已通過環評可以開發。至於當初將濱南工業區與工業港分開開發與作環評的決定，則非常不合理，如果業者開發到一半發現有負面影響而應該予以中止時，損失不是更大嗎？

開發單位還是跟以前一樣不用心，除了把海域生態監測項目中應增列的「頂蛇鰻」，用「土龍」的照片頂替外，甚至在補充意見將5%潟湖面積的用途與建廠用途混淆在一起，明顯違反審查結論，但會議結論的語調還是跟以前一樣：「請開發單位就潟湖的北潮口位置、使用比率及開發規模之調整結果、潟湖生態系統之影響及委員、專家學者所提其他意見一併補正後再行確認。」

2001年1月12日，環保署再召開「濱南工業區開發計畫環境影響評估審查委員會第六十六次會議八項應補充修正意見第二次審查會議」。

審查會前傳出，行政院經建會中長期資金運用策劃推動小組已於2001年1月2日召開的第五十一次會議中，註銷燁隆集團申請的「濱南工業區一貫作業煉鋼廠購置自動化機器設備低利優惠貸款」243.2億。

審查會中，除了台南縣政府認為濱南案已經通過，明確表明縣政府站在贊成開發的立場外，絕大多數的環評委員與專家學者還是砲聲隆隆，其中，曾經建議二大工廠擇一設立的專家學者除了對開發單位沒有針對

他的建議有所回應表達不滿外，也因開發單位修正意見書並未遵照前次會議的結論辦理，建議退回修正意見書。也有學者表示本案雖經環評委員會有條件通過，但對環境的衝擊仍有甚多政策面與技術面爭議與疑點待澄清，且環評過程的周延性也有待斟酌之處，建議：（1）應辦理政策環評；（2）工業區、工業港、海水淡化廠、汽電共生廠等應合併辦理環境影響評估；（3）供水問題應有明確的解決方式，在供水問題未能明確解決前，本案應予退回；（4）本案投資效益應重新評估；（5）本案社會成本應作量化評估。另一專家學者則以書面意見表示：依據南高屏總量管制計畫子計畫（B4）結論，本案如果實施，將使得2006年的各項管制對策無法達成3%的目標，建請會議主席考量是否要通過本案。其他書面意見除指出開發單位所作的生態模式仍不正確、不可靠外，也一一點出本開發案審理過程中的一些盲點，更針對這個爭議不休、甚至無法得到結論的案子，建議依照美國「國家環境政策法」的環評制度，予以擱置，切勿便宜行事，應該為百姓生靈勇敢地說「不」。

當然，也有部分環評委員基於程序的延續，認為應該在開發計畫已經有條件通過環評的基礎上，要求開發單位於開發前兌現應有的承諾，以及

↑報載新任中鋼董事長揚言投資濱南工業區，2001年5月31日七股鄉親趕往中鋼公司股東會場外炸蚵抗議。
提供／中時報系

↑雖然環評已有條件過關，但七股鄉親的意志與堅持仍然不改變。2001年10月17日，七股海岸保護協會總幹事陳家旺（右一）等人要求以濱海國家風景區代替濱南工業區。提供／中時報系

開發後應注意的事項，例如開發、營運時，地方政府環保單位應確實執行環境監測與取締，以維持環境品質等。

雖然環評結論已經明白宣示：「為減輕本計畫對海岸及生態之衝擊，開發單位應以分期分區方式進行開發，且開發初期為興建港灣之需要，最多使用百分之五之潟湖面積外（並需維持北潮口之暢通），其餘潟湖面積暫不得使用。」但開發單位好像是把環評結論當耳邊風，會議結論除了：「請開發單位依委員、專家學者所提意見補正資料後進行書面確認」外，又多了「本署將於會後安排時間請本案專案小組委員、專家學者至現場勘查，以瞭解潟湖現況及其北潮口位置。」

2月15日，環保署再次辦理濱南工業區開發計畫基地現場勘查。被通知的環評委員與專家學者有30位，到場的只有3位！

3月8日，開發單位提出《濱南工業區開發計畫環境影響評估審查委員會第六十六次會議八項應補充修正意見資料補正資料》。

5月14日，環保署再請開發單位就下列事項提供補正資料：

1. 輸煤及儲煤設備宜加蓋，以免煤塵影響潟湖。

2. 請將潟湖的使用面積減少成2.5%，並保留南航道成一直線入潟湖，如附件。

3. 鹽田的使用界限應為低潮時地基的位置。

4. 開發單位雖引用1933年Christensen and D. Pauly（eds.）編輯的Trophic Models of Aquatic Ecosystems一書中的四篇報告，認為細菌及分解者之trophic level皆為2.0，但此一引用仍為錯誤，因為該等報告是模式發展初期的例子，為研討會出版之論文集，並非經同儕審查制度的正式學術期刊報告，故書中的謬誤處仍多，在參考引用時必須謹慎且需靠研究者本身生態的知識加以判斷。而細菌之基礎生產者角色是不容置疑的，故其trophic level應是1.0而非2.0。其實在Christensen et. al.（2000）最新的ECOPATH/ECOSIM手冊中已建議目前不宜將細菌納入模式中，此乃因bacterial flow會完全掩蓋其他生物能量的傳輸而影響到模式的準確性。故開發單位在任意加入或採用其他生物的參數時，應要以生態常識作判斷，以免創造出一個不合邏輯與實際狀況的模式而不自知。模式的準確性完全在於提供參數的可靠性，若隨意更動或加入任何參數，即可能會影響模式中的其他參數目環環相扣的關連性。

5. 紅樹林對潟湖生態之影響絕非只靠水質資料即可代表，紅樹林本生的生產力有多少？落葉量有多少？碎屑的產量？上述條件如何影響七股潟湖的魚蝦蟹貝類的生物量？其生產力季節性變化如何？是否為供應七股潟湖生物之碎屑來源等等均應納入考量，此等因素並非水質一項可以顯示。

6月21日,開發單位提出《濱南工業區開發計畫環境影響評估審查委員會第六十六次會議八項應補充修正意見資料補正資料》。

8月13日,環保署再請開發單位就下列事項提供補正資料:

1. 請回歸環境影響說明書最終審查意見:「以棧橋方式輸煤及其他機具設備不破壞潟湖」為原則之計畫。

2. 不同意開發單位對意見四及五之回覆,特別是其中的兩點:

（1）根據ECOPATH之手冊,前後文是說由於細菌或微生物不易可靠地統計其生物量、生產量及呼吸量,故建議最好不要把細菌納入模式中,否則反而會影響其他部分所作之模擬結果。除非把細菌當成是detritus的一部份來作。換言之,ECOPATH並不贊成將細菌列為單獨之一項,故開發單位之回覆意見有所曲解。

（2）紅樹林分布雖不直接在七股潟湖旁,但在淡水入流之大排及其周邊地區對潟湖生態之影響絕對是有關的,因為其營養鹽是會隨水體之流動而注入潟湖中,故其影響應納入潟湖生態模式中。

3. 在南側部分以支撐方式進行。

4. 儘量再減少潟湖使用面積,潟湖如能避免使用為上策。

8月17日,開發單位提出《濱南工業區開發計畫環境影響評估審查委員會第六十六次會議八項應補充修正意見資料答覆說明》。

10月8日,環保署再請開發單位就下列事項答覆說明:

應具體答覆「以棧橋方式輸煤及其他機具設備不破壞潟湖為原則」之建議,除經費外,是否還有其他不能照辦之理由?

10月15日,開發單位提出《濱南工業區開發計畫環境影響評估審查委

員會第六十六次會議八項應補充修正意見資料答覆說明》。關心潟湖生態的專家學者仍然無法接受開發單位的答覆說明。此時，環保署內部簽了一份文件：「有關濱南工業區開發計畫環境影響評估審查委員會第六十六次會議八項應補充修正意見經開發單位三次補充、修正未獲確認，依本署環境影響評估書定稿或補正事項確認作業要點規定，擬請本案召集人張祖恩副署長邀集與該確認事項有關專家學者召開會議確認有關事項。」

11月5日，環保署邀請該位專家學者至張副署長辦公室召開「濱南工業區開發計畫環境影響評估審查委員會第六十六次會議八項應補充修正意見確認會議」，獲致下列結論：

1. 有關潟湖之使用，應依本案環境影響評估審查結論六「…開發初期為興建港灣之需要，最多使用百分之五之潟湖面積外（並需維持北潮口之暢通），餘潟湖面積暫不得使用。」列明為興建港灣所需之相關內容，至於後續之土地使用暫不列入。

2. 有關開發單位答覆「本計畫以部分採取棧橋方式…」，其詳細內容，請併入經濟部工業局之工業專用港環境影響說明書中加以敘明。

3. 工業專用港環境影響評估應依本案環境影響評估審查結論四辦理。

環保署這個動作，真的很奇怪！

◎定稿難搞定

不曉得是環保署累了，或者是開發單位該修正的，該確認的都已經全數修正、確認完畢，環保署終於在2001年12月12日發函給開發單位，請

開發單位將審查結論、歷次審查會議（十四次專案小組初審會、三次專家學者初審會）補正事項、歷次確認事項（八項應補充修正意見）及有關濱南工業區開發計畫環境影響評估審查委員會第六十六次會議八項應補充修正意見確認案納入定稿，送環保署備查。

也就是說，環保署明確地告訴開發單位，可以準備提報環評報告書定稿本了！

此時，反對濱南工業區開發計畫的蘇煥智才剛當選台南縣縣長，上任後不久，便於2002年1月16日函請環保署就本案是否有開發的必要，再與經建會及經濟部協商審議，且建請在工業專用港環評未定案前，暫勿定稿核備。

2003年8月15日，開發單位終於把《濱南工業區開發計畫——石化綜合廠、精緻一貫作業鋼廠與工業專用港環境影響評估報告書（定稿本）》及審查費貳萬元送到了環保署。

此時，環保署啟動了開發單位環評報告定稿本的認可程序！

9月29日，環保署函請開發單位就下列事項予以補充，並修正《濱南工業區開發計畫——石化綜合廠、精緻一貫作業鋼廠與工業專用港環境影響評估報告書（定稿本）》：

1. 僅提出沙洲保護計畫，並未明確承諾負責辦理補償（賠償）措施。

2. 針對本計畫開發後造成青山港淤積所提出之因應對策，其處理方式如定期浚深港口航道或延長港口防波堤等是否已與漁業單位協商。

3. 雖於意見處理情形及本文（p.4-11）中均述及「潟湖之使用面積比例為4.982%，主要為興建港灣所需，至於後續之土地使用暫不列入」，惟比對報編範圍圖（圖4-3）及配置圖（圖4-4），本案所使用

4.982%潟湖並未位於所標示之工業專用港範圍內。再比對其分區開發範圍圖（圖4-5），本案所使用4.982%潟湖位於所標示A1（鋼廠用地）B1（石化廠用地）之範圍內，仍需請開發單位釐清說明。

12月29日，開發單位提出補充與修正資料。

由於濱南案環評報告書（初稿）審查結論：「本計畫開發規模龐大，並涉及填海造地工程，對海洋生產力、生態將造成影響，為減輕本計畫對海岸、潟湖及生態之衝擊，開發單位應以分期分區方式進行開發，且開發初期為興建港灣之需要，最多使用百分之五之潟湖面積外（並需維持北潮口之暢通），餘潟湖面積暫不得使用。」所稱「開發初期」、「興建港灣之需要」及「最多使用百分之五之潟湖面積」均為使用潟湖的必要條件，缺少其中一項即不符合審查結論要求，因此，環保署再於2004年2月6日函請開發單位就下列事項予以補充，並修正環評報告書定稿本：

1. 於《濱南工業區開發計畫石化綜合廠、精緻一貫作業鋼廠與工業專用港環境影響評估報告書（定稿本）》第四章增列：「不得以『為興建港灣之需要』以外之任何理由使用潟湖」，並附註於濱南工業區報編範圍圖（圖4-3）、濱南工業區配置計畫圖（圖4-4）及濱南工業區分期分區開發範圍圖（圖4-5）中。

2. 請修正前開評估報告書（定稿本）名稱為《濱南工業區開發計畫環境影響評估報告書（定稿本）》。

2月19日，開發單位再度提出補充與修正資料。

3月8日，環保署針對開發單位所送的答覆說明資料，重申：

1. 依據本署九十三年二月六日環署綜字第○九三○○○九二四一號

函（諒達），「開發初期」、「興建港灣之需要」及「最多使用百分之五之潟湖面積」均為潟湖使用之必要條件，缺少其中一項即不符合本案審查結論六。依據上述條件使用之潟湖，應納入工業專用港範圍內，並且載明「不得以『為興建港灣之需要』以外之任何理由使用潟湖。」

2. 有關《濱南工業區開發計畫環境影響評估報告書（定稿本）》第四章及「濱南工業區報編範圍圖」（圖4-3）、「濱南工業區配置計畫圖」（圖4-4）及「濱南工業區分期分區開發範圍圖」（圖4-5），請依前項所述加以修正。

3月16日，開發單位提送補充與修正資料。

4月22日，環保署針對開發單位所送的答覆說明資料詢問：第4-1頁所稱「建廠用地」與圖4-3及圖4-4之「工業區範圍線」關係為何？圖4-5是否為「建廠用地」之分期分區開發範圍？並請開發單位依1993年9月29日、1994年2月6日與1994年3月8日函示意見，補正編製環境影響評估報告書。

7月2日，開發單位將《濱南工業區開發計畫環境影響評估報告書（定稿本）》送到環保署。

8月26日，環保署函請開發單位就下列事項提出補正：

1. 依據　貴公司對本署九十三年四月二十二日環署綜字第○九三○○二八七四一號函意見之回應說明，「工業區範圍線」即「建廠用地範圍」；另依所送報告第4-11及4-34頁，石化廠廠區及一貫作業鋼廠廠區，分別包括廠房用地及必要性服務設施用地兩大類。由於上述用地名稱與促進產業升級條例第二十九條規定不

同,且為避免外界將「建廠用地」與「廠房用地」混淆,建請妥
予修正。

2. 第4-5頁圖4-4濱南工業區配置計畫圖,無法辨識石化綜合廠廠區
及精緻一貫作業鋼廠廠區之範圍,亦完全未將各項設施配置情形
標示於圖上,請補充、修正。

3. 6-396頁列出「石化綜合廠土地使用計畫面積分配表」,一貫作業
鋼廠部分則未見,請補充。上述土地使用計畫面積分配情形為本
工業區開發計畫內容之重要項目,請改列於第四章。

4. 第4-4頁圖4-3濱南工業區報編範圍圖,看不出本工業區報編範
圍,請修正。

5. 第4-7頁圖4-5濱南工業區分期分區開發範圍圖及4-18頁圖4.3.3.2.4-
1濱南工業區分區填地範圍示意圖,與圖4-4及圖4-5似不相符,未
標示A、B代表之意涵、圖與說明不符(無「B6」及料源區),請
修正。

6. 第4-6頁稱「規劃以4.982%潟湖做為施工基地,供製作與存放沉
箱、塊石等施工材料,並藉以能分向海側及陸側展開各種臨時圍
堤、海堤、防波堤及抽砂造地等工程」乙節,是否確實符合審查
結論六(開發初期為興建港灣之需要),請再加以檢討修正。

7. 依審查結論「四、工業專用港之開發,應由工業主管機關另案實
施環境影響評估,依法定程序送審。」請將上述審查結論文字於
第四章4.3「濱南工業區工業專用港開發計畫」載明。

8. 「開發單位履行環境影響評估責任承諾書」所載之書件名稱有
誤,請予更正,並應經開發單位負責人簽名或蓋章。

　　為了《濱南工業區開發計畫——石化綜合廠、精緻一貫作業鋼廠與工業專用港環境影響評估報告書》的定稿，環保署與開發單位就這樣子一來一回。

　　至於後續的演變，我就沒有再問下去，只是天真地以為這個案子結束了。

定稿公告後

　　2004年8月26日，環保署發出要求開發單位補正的公文後，開發單位怎麼回應？定稿本有沒有核可？我真的不知道！

　　2005年，一整年下來，風平浪靜，這個故事的結束應該可以成真!?

　　2006年1月26日，打開自由時報一看：沉寂已久的濱南工業區開發案已完成環評作業程序，環保署上週正式公告濱南案環評報告書定稿本。

　　真的耶！環保署真的依《環境影響評估法》第十三條第三項規定，在2006年1月19日以環署綜字第0950006595號函公告《濱南工業區開發計畫環境影響評估報告書》審查結論及《環境影響評估報告書》摘要。

　　當天晚上，收到環保署的環保新聞與訊息快訊：環保署依法公告濱南工業區開發案環評審查結論，裡頭寫到《濱南工業區開發計畫環境影響評估報告書》已經在2004年12月16日依法予以認可。換言之，2006年1月19日的公告只是依《環境影響評估法》相關規定辦理而已！

　　據悉，2004年12月16日同意認可《濱南工業區開發計畫環境影響評估報告書》的函件（環署綜字第0930074745號），並未副知台南縣政府。

←2006年2月15日七股鄉親在獲悉環保署公告環評報告書後，與環保團體在七股海岸保護協會召開記者會，雙手合十祈求上天保佑。家旺伯在臨終前仍念念不忘，已經很虛弱的他，還是出席了記者會。提供／聯合報系

從程序上來看，環保署或許可以強調是依法行政，但從環境影響評估的實際內容來看，環評有條件通過、通過後的資料補充與定稿本的認可，卻有許多可議之處，環保署實在不必爲了走完程序而走完程序，況且開發預定地及週遭環境在環評報告書定稿本認可與公告前，已經出現《行政程序法》所稱的「發生新事實或發現新證據」，環保署應可斟酌予以較有利益的處分。

2006年2月9日，蘇煥智拜訪環保署張國龍署長，重申任內不讓濱南案過關的決心，更明確希望環保署依《行政程序法》廢止《濱南工業區開發計畫環境影響評估報告書》審查結論及《環境影響評估報告書》摘要的公告，否則，不排除重回街頭，再度走上抗爭之路。

才於2005年6月8日就任的張國龍署長，除一再強調依法行政與已盡最大努力的立場外，也同意就《行政程序法》的適用問題建立聯繫窗口進行研議。

　　在蘇煥智拜訪環保署後，台南縣政府整理出包括「濱南工業區環評計畫送審時，尚未設雲嘉南國家風景區，然而該地區已經行政院於2003年11月21日公告核定為雲嘉南國家風景區的一部分」、「濱南工業區規劃在七股潟湖北端設置工業港，阻塞潟湖北端出口，勢必造成該地區大寮排水無處宣洩洪水，嚴重影響排水功能」、「工業區設立將造成水質惡化，衝擊潟湖養殖業，影響漁民生計」、「京都議定書已於2005年2月16日生效，濱南工業區所引進的煉鋼廠及石化業，都屬於高二氧化碳排放的產業，一旦濱南工業區開發，將排擠我國其他傳統產業的發展，招致國際經濟制裁並損及我國國際形象」、「濱南工業區估計每天用水量約20萬噸，但水資源局只承諾每天供水8萬噸，且至2006年為止」與「開發案將加速國土流失，使得七股潟湖多樣、且豐富的生態及環境面臨無可回復的災害，違背國家永續發展、海岸永續利用的目標」等理由，函請環保署依《行政程序法》第123條廢止《濱南工業區開發計畫環境影響評估報告書》的公告，以免對社會公益造成危害。

　　同時，我也進一步去蒐集《濱南工業區開發計畫環境影響評估報告書（定稿本）》認可後、公告前的一些資訊，資料顯示：

　　2005年4月19日，台南縣政府列舉京都議定書生效、雲嘉南國家風景區核定與台南縣曾文溪口黑面琵鷺野生動物重要棲息環境公告等事實，函請環保署基於情勢變遷原則，依《行政程序法》第123條第四款暫緩定稿，重開環評。5月30日，環保署回文表示有關開發單位環評報告書的認可係依《環境影響評估法》第十三條第二項規定辦理，至於京都議定書、雲嘉南國家風景區與台南縣曾文溪口黑面琵鷺野生動物重要棲息環境等情勢變遷與本計畫的關係，則建議台南縣政府逕向目的事業主管機

關（經濟部）提出，請其在核發許可前納入考量。

6月28日，台南縣政府函請經濟部在核發濱南工業區開發計畫許可前，將行政院核定公告的雲嘉南國家風景區、農委會公告的台南縣曾文溪口黑面琵鷺野生動物重要棲息環境與京都議定書的生效等納入考量。9月2日，經濟部工業局回文給台南縣政府，《濱南工業區開發計畫環境影響評估報告書（定稿本）》業經環保署同意認可，有關工業區及風景區開發土地使用競合課題，刻由內政部區域計畫委員會依權責處理，至於本案是否編定為工業區，將依《促進產業升級條例》第二十三條規定辦理。

7月1日，台南縣政府因六一二水災的衝擊，函請環保署再審慎考量濱南工業區開發計畫對於七股及周邊地區排水的衝擊，勿遽然核定環評報告書。

7月12日，蘇煥智拜訪剛上任的張國龍署長，請環保署依《行政程序法》廢止濱南工業區開發計畫環評審查結論。

7月22日，環保署就《濱南工業區開發計畫環境影響評估報告書》審查結論公告事宜，函請經濟部、交通部、內政部與台南縣政府查照。

7月28日，交通部轉請運輸研究所研處。

7月29日，交通部運輸研究所回文表示：經查本案審查結論未有涉及交通議題者，故本所無意見。

8月11日，台南縣政府列舉七項理由，請環保署依《行政程序法》第123條規定，重新檢討本案：（1）濱南工業區所引進一貫作業鋼廠、石化綜合廠兩個產業，屬於高二氧化碳排放量，將嚴重影響台灣溫室氣體的減量目標，影響國家整體利益及國際形象，與國際環保公約京都議定書背道而馳。（2）濱南工業區為高耗水資源產業，未來設置將面

臨水嚴重不足問題，並對本縣民生、農業與工業區間之用水產生極大壓力與排擠效應。（3）行政院已於92年11月21日公告核定「雲嘉南濱海國家風景區」，定位以發展鹽田產業景觀、遊憩與渡假村為主；再者，行政院農業委員會亦於91年10月14日公告「台南縣曾文溪口黑面琵鷺野生動物重要棲息環境」，以保護瀕臨絕種鳥類——黑面琵鷺棲息地避免遭受人為影響及破壞，惟濱南案周邊開發將直接或間接對黑面琵鷺棲息環境造成衝擊，實不宜在國家風景區內開發作為工業區用途，應以發展休閒觀光為優先。（4）濱南工業區所引進之一貫作業鋼廠、石化綜合廠，所產生之酸雨及懸浮微粒等空氣污染，將嚴重影響南部科學園區晶圓與光電等高科技製程及不良率之提高，而科學園區之生產機能受到威脅，將影響業者投資意願，對於南科未來發展產生不利影響。（5）本縣七股地區地勢平坦、排水不易，近日來受到612豪雨及海棠颱風等影響，已造成當地多處淹水災情，未來工業專用港設置，潟湖北端封閉設置工業專用港，大寮排水將無處宣洩洪水，勢必嚴重衝擊七股地區排水系統，造成水患。（6）七股潟湖北端設置工業專用港，航道一旦封閉，七股、將軍一帶漁民無法進出潟湖捕魚作業，造成漁民生計問題；又潟湖與外海間原有二處海水交換，僅剩一處時將導致潟湖與外海間海水交換困難，潟湖水質勢將惡化，直接衝擊潟湖養殖業者，可能進一步引發養殖業者抗爭。（7）本縣七股網子寮汕、頂頭額汕和青山港汕等沙洲是本縣海岸最重要天然屏障，能夠阻擋海浪入侵，孕育豐富生態資源，惟工業區之專用港興建，其防波堤突出海岸數公里，海岸將受到嚴重淤蝕，使國土及生態資源大量流失，珍貴的潟湖濕地景觀亦將消失，造成無法彌補的生態浩劫與沿海

漁場遭到破壞。

　　9月21日，內政部回文表示：（1）開發計畫所在區位周遭業經台南縣政府配合「挑戰2008國家發展重點計畫」之「觀光倍增計畫」，報經行政院核定作為「雲嘉南濱海國家風景區」使用，二計畫間之使用似存在環境影響是否相容或競合等問題，貴署前於環境影響評估審查時，是否納入考量，如無，應否一併納入考量，請卓處。（2）查91年12月20日行政院國家永續發展委員會第15次委員會討論通過「國土資源工作分組」行動計畫表略以：「…不減少自然海岸線…」。本部營建署爰將「維持自然海岸線比例不再降低」之政策目標，納入本次區域計畫第2次通盤檢討（草案），以指導海岸永續利用。依該計畫草案，將非都市土地使用分區中增列「其他使用區（海域區）」，並以保育為原則，除行政院核准之重大計畫外，不再受理設施型海埔地及海域之開發計畫申請。海岸地區應以維護海岸自然環境、保障公共通行與公共水域使用權、提昇親近海洋權益、增進公共福祉或配合行政院核定興建國家重大設施為優先；除應採取避免或減輕海岸生態環境衝擊之有效措施外，得以一定比率之海岸新生地或鄰近海岸之適當土地，採取彌補或復育該一區域內生態環境損失之有效措施，並納入開發管理計畫管理之。目前該計畫（草案）正由本部區域計畫委員會審議中，併予敘明。

　　9月28日，經濟部回文表示：查濱南工業區開發計畫於88年12月17日經　貴署環境影響評估審查委員會第66次會議審查達成結論，開發單位嗣於92年8月15日起陸續提出環境影響評估報告書修訂本，並經　貴署於93年12月16日環署綜字第0930074745號函同意認可，故有關「濱南工業區開發計畫環境影響評估報告書審查結論公告事宜」，建請仍依

環境影響評估法相關規定辦理。

10月4日，台南縣政府就《濱南工業區開發計畫環境影響評估報告書》審查結論公告事宜，再度發函給環保署，表達反對的立場。

從過程來看，環保署顯然比較在意經濟部的意見，而台南縣政府的反對立場似乎撼動不了環保署的既定程序，期待內政部區域計畫委員會能在審查濱南案時，堅持「維持自然海岸線比例不再降低」的政策目標。

家旺伯走了

家旺伯的身體狀況從農曆過年以後，每況愈下。2006年2月15日，七股龍山村鄉親與環保團體在七股海岸保護協會召開記者會，發表聲明抗議環保署公告濱南案環評報告書，戴著呼吸器的家旺伯仍強打精神前往參加。不到一個月，家旺伯離開了念念不忘的內海。3月22日，在家旺伯的告別式裡，昔日的戰友都來了。台灣環保聯盟與七股海岸保護協會為家旺伯護上會旗，感念他為七股內海所做的努力，我也把當天我為家旺伯所做的生平介紹，記錄在這裡（台語發音）：

七股內海兮勇士──家旺伯

陳家旺老先生，就是我所敬愛，嘛是逐家所懷念分家旺伯，西元1938年（民國27年）5月初6，出生佇七股山仔寮。24歲分時候，佮差伊兩歲分蚶寮人黃隆小姐（就是咱家旺姆）結婚，生兩個孝生，一個

查畝（這個查畝不幸佇舊年8月，早一步來離開即分世間），經過69冬分奔波、辛苦，這個月（3月）11號（農曆2月12）暗時10點，因為肝癌來過往。

家旺伯佮真濟生活佇海邊分歐吉尚相款，天還不亮，著出海去收網罟，天漸漸光，將收來分魚仔、蝦仔、蟳仔，拿去市場拍賣，然後返去厝，猶欲整理漁網、剝蚵，甲飽後，歇睏一下，擱出海去整理蚵棚。

就這樣，日子一工過一工，一冬過一冬。

我，佮許多出世佇鄉下分囡仔相款，大漢出外去讀書，找頭路，最多，過年過節返來故鄉走走看看。

家旺伯佮我，就親像過路分兩耶人。

但是，12年前（1994年、民國83年），因為兩個財團要來七股開發濱南工業區，要將七股內海地起來，要引進高污染分七輕石化廠佮大煉鋼廠，因為安咧，我佮家旺伯，佮真濟鄉親好朋友逐家來熟似、結緣。

12冬來，不管是在地抗爭，參加南瀛苦行，出外到台北表示意見，參加立法院分公聽會，或者是參加環保署分審查會議，家旺伯佮許多鄉親共款，不願意缺席，總是為著要保護這塊祖先留下來分內海；1996年開始，推動生態旅遊，組織七股海岸保護協會，擔任總幹事，向關心分媒體佮各地前來參觀分朋友介紹內海，介紹這塊土地分故事，介紹當地反對污染分聲音，讓佫卡濟人認識七股內海、認識反七輕、反大煉鋼廠分聲音。

今年農曆正月初一，我返來看家旺伯，這麻是我最後一次看到家旺

伯。我看伊，情況已經不是盡好，但是，伊所關心分，猶原是開發案甘有法度擋落來。伊問我，是安怎過去反七輕分人做環保署長，要來公告七輕分環境影響評估報告書？伊擱交待阮向煥智縣長反應，伊說內海出現問題，特別是去年水災後，內海分魚越來越少，越來越歹扒……。2月15日山仔寮鄉親佮環保團體發表聲明，對環保署提出抗議，家旺伯嘛戴著呼吸器來到現場，對濱南案付出伊最後一遍分關心。

現在，家旺伯雖然離開咱，但是伊分堅持、伊分願望，一直留佇咱分心內，督促咱打拼來保護這塊內海。我嘛愛向家旺伯報告，您分交待，咱已經開始進行，台南縣政府佮七股海岸保護協會、台灣環保聯盟已經提出行政佮訴願程序，要求行政院撤銷濱南案分公告，台南縣政府嘛準備成立水利局，設立海岸保護課來解決沙洲佮潟湖分問題。

家旺伯，你就放心離開吧，望你在天之靈，保佑家旺姆、你分二個孝生、你分孫子，身體健康，嘛愛保護所有鄉親好朋友，事業順利，保佑反七輕會使佇最短時間內成功！

Act Three,

Scene Two

實踐理想　面對挑戰

2001~2006

在反對濱南案的過程中，反濱南陣營除了以具體的論述，揭穿其扭曲社會公平競爭機制、破壞生態平衡、犧牲漁民生存權與跨世代公平使用水資源的事實外，也以在現實中落實永續發展作為目標，主張以七股潟湖為核心，將台17線以西的七股地區，規劃開發成兼具觀光、休閒、文化、教育與自然生態保護功能的「七股潟湖風景特定區」，作為帶動地方長期繁榮與增加就業機會的替代方案。同時，為了豐富七股潟湖風景特定區的內涵，帶動沿海地區各鄉鎮的發展，我們也主張以鄰近的佳里鎮、西

↑蘇煥智版的台南濱海國家風景區（選舉文宣）。提供／愛鄉文教基金會

港鄉、將軍鄉、學甲鎮、北門鄉與麻豆鎮等鄉鎮所擁有的文化、生態與產業資源作為腹地，建立系列的生態與人文據點，進行連線規劃與網路建設，利用帶狀的發展策略，吸引更多的人潮。

2001年8月1日，投入縣長選戰的蘇煥智推出第一波文宣：《蘇煥智版的台南濱海國家風景區》，以台17線以西，北自八掌溪南至曾文溪為範圍，規劃為國家風景區，結合保育與觀光，替代高污染、高耗水的七輕煉油廠與大煉鋼廠，並以一年創造一百億以上的收益，增加三萬個以上的就業機會為訴求，計畫在風景特定區內成立海洋博物館、鹽業博物館、渡假村、景觀藝術大橋、遊艇碼頭、聯外道路、生態遊憩區以及各

項設施，至少將帶來八百億以上的投資額，而且能永久保存台南的自然資源。

《蘇煥智版的台南濱海國家風景區》以沿海三個鄉鎮爲範圍，內容包括北門鄉的「雙春海濱遊樂區」、「急水溪親水遊憩區」、「南鯤鯓宗教文化園區」、「北門鹽場鹽業體驗區」與「北門潟湖生態旅遊區」、將軍鄉的「馬沙溝海濱遊樂區」與「將軍漁港遊憩經貿綜合區」、七股鄉的「鹽業文化博物館園區」、「七股潟湖生態旅遊暨水上遊樂區」、「海洋生物博物館」、「黑面琵鷺生態保育園區」、「曾文溪河濱生態休閒綠帶」、「曾文溪西濱景觀大橋」與「台南大學城」等計畫。

12月1日，蘇煥智以274,086票當選第十四屆台南縣縣長。當選後的蘇煥智如何實踐理想、兌現承諾，不僅台南縣民在看，當時投入反濱南運動的夥伴們更是睜大眼睛在看。

2005年12月3日，蘇煥智競選連任成功。期間，我陪著蘇煥智跑了十天的行程，是投入九二一災後重建六年以來，第一次近距離接觸自己的故鄉，體會故鄉脫胎換骨的契機，看到了蘇煥智爲實踐理想所作的努力與面對的挑戰，也看到環繞在這個故事週遭的環境變遷，以及反對濱南案過程中所擔心的問題浮現！

黑面琵鷺保護區　範圍敲定了

黑面琵鷺保育工作受到重視，與七股工業區開發計畫區位恰巧與黑面琵鷺主要棲息地重疊有相當大的關聯，而當時發生的槍擊事件更引發國

際社會的關切，丁文輝、翁義聰、郭忠誠與郭東輝等人更進一步提出「劃設黑面琵鷺過多保護區」的建議。

1992年7月1日，農委會依據《野生動物保育法》公告黑面琵鷺為瀕臨絕種保育類野生動物，但對於黑面琵鷺棲息環境與保護區的劃設，在往後的數年間，卻呈現各級政府與民意機關都有「應該劃設保護區」的共識、但卻難以定案的狀態。

↑黑面琵鷺保護區與棲息環境範圍。
提供／台南縣政府

過程中，保育團體建議的棲息環境與保護區劃設範圍相較於台南縣政府與七股鄉公所的版本，少了新浮崙汕及曾文溪北岸高灘地，多出了台南師範學院預定地及西濱快速道路以西、主棲地以西的縣有東漁塭區部分。其中，東漁塭區部分是爭議的焦點，保育團體認為東漁塭區是黑面琵鷺主要覓食區，縣政府則基於東漁塭區承租漁民的壓力，拒絕將東漁塭區納入範圍。至於，新浮崙汕及曾文溪北岸高灘地則因非黑面琵鷺主要覓食區，爭議不大。

2002年1月9日，甫就任縣長的蘇煥智即著手處理這個棘手的問題，提出新版的棲息環境與保護區劃設計畫，將新浮崙汕及曾文溪北岸高灘地排除在外，納入保育團體主張的東漁塭區，而棲息環境與保護區範圍則由保育團體主張的1,200公頃，減少為634公頃。此一新版計畫獲得農委會、學者與保育團體的認同，也使得爭議多年的保護區劃定問題終於塵埃落定。

1月14日，農委會野生動物諮詢委員會原則同意台南縣政府的提案，並

授權農委會就台南縣政府修正後的保育計畫書予以審核後，函請台南縣政府公告。

10月14日，農委會公告「台南縣曾文溪口黑面琵鷺野生動物重要棲息環境」，其公告範圍以七股新舊海堤內的縣有地為主，北以舊堤堤頂線上為界定，南至河川水道治理計畫用地範圍線以內，東以台南師範學院預定地界址樁為界線，西為海堤區域線以內（含水防道路），含四號（原一號）、一號（原二號）及二號（原三號）水門，面積634.4344

↑黑面琵鷺賞鳥亭。攝影／呂宗憲

↑黑面琵鷺造型公廁。攝影／呂宗憲
↓黑面琵鷺保育管理中心。攝影／呂宗憲

公頃。

11月1日，台南縣政府公告曾文溪口北岸海埔地為黑面琵鷺保護區，面積300公頃。

為了避免衝擊東漁塭區漁民的權益，台南縣政府讓原佔墾漁民可重新辦理登記承租，以落實合法契約關係，放棄耕作者可將土地釋回縣政府，由縣府經營管理。部分養殖戶因轉任「黑面琵鷺巡守隊」工作，變成保育黑面琵鷺的前鋒。

在棲息環境與保護區範圍設定後，台南縣政府也著手推動一系列的工作：提升旅遊品質、營造棲地環境與加強生態研究等。期間，雖有發生2002年12月的黑面琵鷺肉毒桿菌毒素中毒事件，造成73隻黑面琵鷺的死亡，但也促成縣政府加強黑面琵鷺渡冬期間的安全維護措施。

◎提升旅遊品質

台南縣政府為了提升生態旅遊品質，從提供優質解說服務與改善道路交通系統切入：闢建四座生態式賞鳥亭，延長與拓寬173號縣道，興建隱蔽式公園停車場，並爭取興建「黑面琵鷺保育管理中心」。其中，賞鳥亭在完工後，於2004年8月委託給台南縣黑面琵鷺保育學會、台南縣野鳥學會、台南縣黑琵家族野鳥學會等保育團體認養，提供生態解說服務。

2005年11月28日，黑面琵鷺保育管理中心舉行揭牌典禮。待「黑面琵鷺研究中心」完成後，這兩個中心將負起七股地區生態保育、教育、展示及旅遊服務等責任。

◎營造棲地環境

台南縣政府在公告黑面琵鷺保護區後,成立黑面琵鷺保護區巡守隊,負責保護區及週邊的安全維護。2002年12月黑面琵鷺中毒事件後,巡守隊員也由6名增加到16名。除了棲地安全的巡守外,改善棲地水質、增加棲地魚群總量,也都成為避免再度發生中毒事件的重要工作。

◎加強生態研究

在農委會與台南縣政府的支持下,已執行數十項與黑面琵鷺有關的生態研究,包括棲地環境調查與監測、黑面琵鷺基礎資料記錄與分析、保護區管理與維護等,為黑面琵鷺生存環境提供施政與管理上的依據。

從南瀛到雲嘉南　風景區成立

蘇煥智在就職後,隨即指示撰寫《南瀛國家風景區資源說明書》,並於2001年12月25日函請交通部觀光局依《發展觀光條例》與《風景特定區管理條例》,將台南縣北門鄉、將軍鄉與七股鄉沿海地區劃設為海岸型國家級風景特定區。

2002年3月27日,上任不久的游錫堃院長發表行政院九十二年度施政方針,宣布以挑戰二○○八做為施政目標,研議一項為期六年,包含經濟、人文與生活三個面向的國家總體建設計畫,以積極開創台灣在世界

舞台上的新定位。

台南縣政府在獲悉行政院的施政方向後，即將《南瀛國家風景區資源說明書》提送交通部觀光局，爭取納入《挑戰二○○八：國家發展重點計畫》，表達申設國家風景區的強烈企圖。

這項以《挑戰二○○八：國家發展重點計畫》為名稱的施政計畫經5月28日行政院第2785次院會通過，

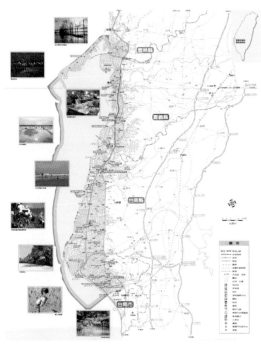

↑雲嘉南濱海國家風景區範圍。
提供／交通部雲嘉南濱海國家風景區管理處

並於5月31日核定。《挑戰二○○八：國家發展重點計畫》共有十項計畫，其中一項攸關七股命運的《觀光客倍增計畫》，將「雲嘉南濱海旅遊線」納入「開發新興套裝旅遊路線及新景點」中，準備建設雲嘉南濱海地區成為新興的國際級觀光帶，藉以帶動地方鹽田、養殖產業轉型發展成產業觀光及生態觀光，創造就業機會，維繫地方社經發展。

7月10日，交通部所提《觀光客倍增計畫》經行政院核定，「雲嘉南濱海風景區」的劃定與規劃正式納入《挑戰二○○八：國家發展重點計畫》。

　　8月22日，陳水扁總統視察台南縣濱海地區，參觀將軍漁港與七股潟湖等濱海景點，除表態支持南瀛濱海國家風景區計畫外，並宣示將儘速成立「雲嘉南濱海國家風景區」籌備處。

　　9月2日，台南縣政府率先成立「南瀛濱海國家風景區推動委員會」，由縣長室秘書陳俊安擔任首任執行長。籌備處於9月底進駐七股台鹽閒置辦公室，成為濱海地區第一個成立專責組織的縣市。

　　2003年8月6日，雲嘉南濱海風景區經觀光局評鑑小組評鑑為「國家級風景區」。

　　11月21日，行政院公告核定「雲嘉南濱海國家風景區」的範圍。雲嘉南濱海國家風景區北起雲林縣牛挑灣溪，南至台南市鹽水溪，東以台17線為界，西至海岸線向西到海底等深線二十公尺處。陸域面積33,413公頃，海域面積50,636公頃，合計84,049公頃。區內的遊憩據點依其所在地點、資源特性與活動類型，區分為「雲嘉」、「南瀛」與「台江」三大系統。其中，雲嘉系統位於本區北段的嘉義、雲林兩縣境內，旅遊重點以外海離岸沙洲特殊地理景觀、漁港、濕地及歷史悠久的廟宇為主軸。南瀛系統位於本區中段台南縣境內，景點較具多樣性，包括潟湖及沙洲等地理景觀、黑面琵鷺及紅樹林生態系等生態景觀、鹽田產業、廟宇及濱海遊憩據點。台江系統則位於本區最南段的台南市安南區，遊憩活動以四草地區的古蹟遺址參觀與生態觀賞為主。

　　位於台南縣的南瀛系統，北起八掌溪，南至曾文溪，範圍包含北門鄉、將軍鄉與七股鄉，區分為「北門次系統」、「七股次系統」與「黑琵次系統」。其中，北門次系統包括雙春濱海遊憩區、海濤濱海渡假區、蚵寮漁村體驗區、北門鹽場遊客中心、井仔腳瓦盤景觀區、東隆宮宗教文

化區、蘆竹溝飛行遊憩區、北門潟湖景觀區；七股次系統包括馬沙溝濱海遊憩區、將軍港灣遊憩區、青鯤鯓扇鹽遊憩區、鹽山遊客中心、七股潟湖景觀區及藍色公路、網仔寮汕遊憩區、紅樹林生態教育園；黑琵次系統包括黑琵國寶特賞區、黑琵遊客中心、正王府濱海景觀區、頂頭額汕踏浪區、六孔赤嘴仔遊憩區。

　　12月24日，交通部觀光局轄屬第12個國家風景區——雲嘉南濱海國家風景區，在陳水扁總統主持下正式掛牌成立，管理處設於台南縣北門鹽場，處長由觀光局澎湖國家風景區管理處副處長洪東濤出任。

　　至此，長久以來一直處於台灣邊陲的雲嘉南濱海地區將依據《雲嘉南濱海觀光發展計畫》，正式進入以觀光遊憩為發展主軸的新階段。

　　反對濱南案所提的替代方案（七股潟湖風景特定區）終於實現，中央政府甚至把我們畫的餅變大了：從「台南濱海」到「雲嘉南濱海」！

◎管理處落腳北門

　　鹽田是台南縣頗具特色的產業景觀，也是一個具有土地拓荒背景的人文景觀，特別在台灣鹽業沒落、鹽田面積日益減少之際，台南縣仍擁有北門與七股兩大鹽場，更顯現其獨特性與可貴性。

　　台灣鹽業的發展始於明朝永曆十九年（1665年），由鄭經的參

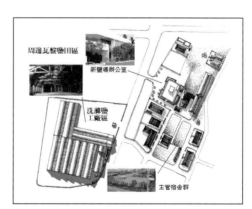

↑北門鹽場配置圖。製圖／陳俊安

↑北門鹽場曬鹽作業。攝影／呂宗憲

←此情此景已不復存在。提供／愛鄉文教基金會

軍陳永華在瀨口（現今台南市西南郊鹽埕一帶）開闢「瀨口鹽場（瀨北場）」；到了清康熙二十三年（1684年），台灣府知事蔣毓英又在現今台南縣永康鄉鹽行村洲仔尾一帶開闢「洲仔尾鹽埕」，並以新港溪（現今鹽水溪）為界劃分成「洲南場」與「洲北場」；清乾隆二十一年（1756年）又在高雄增闢「瀨南場」、「瀨西場」與「瀨東場」。

　　這六個鹽場的原址歷經水災的摧殘，或合併或遷移；其中，位於洲仔

尾的「洲北場」在清乾隆五十三年（1788年）因水災改遷到安定里（現今七股鄉公所南邊的鹽埕地），而「洲南場」也在清道光五年（1825年）遷往嘉義縣的布袋嘴；清道光二十五年（1845年），安定里的「洲北場」又毀於水災，三年後再遷往北門鄉舊埕一帶。至於位在現今高雄縣彌陀的「瀨西場」，則在清咸豐七年（1857年）遷往、並併入「瀨南場」，而「瀨南場」也於1914年，因高雄港與都市發展而廢棄；另一個位在現今高雄市小港區的「瀨東場」則在清嘉慶五年（1800年）遷往現今佳里鎮龍安里外渡頭的「大田場」，清嘉慶二十三年（1818年）再遷往現今北門鄉永華村的「井子腳」。

1895年日本佔領台灣後，即行廢止鹽的專賣制度，完全開放自由產售，對鹽業不加管理，鹽田因而日漸荒蕪。到了1898年，由於日本本土缺鹽，因而再度實施鹽的專賣制度，並制定鹽田開鑿補助辦法，積極鼓勵鹽民修復鹽田，開闢新鹽場；其中，北門鹽場的蚵寮鹽田與王爺港鹽田，以及七股鹽場都是在這個時空條件下開闢出來的。

北門鹽場開發期較早，曬鹽場區大抵上是屬於瓦盤鹽灘。這些鹽灘在台鹽停止曬鹽後就處於閒置狀態，但因許多瓦盤鹽灘仍保持得相當完整，形成相當特殊的景觀。此外，具有日式風格的「北門鹽場辦公室區」與「洗滌鹽工場區」建築群，也與新建的場務辦公室形成強烈對比，加上場區位置交通便利，具有再利用的意義與價值。

2002年底，剛成立的南瀛濱海國家風景區推動委員會，就開始著手清理閒置荒蕪的北門鹽場，計畫做為區域型的旅遊服務中心。2003年，台南縣政府投入500萬元進行初步整修，直到雲嘉南濱海國家風景區確定設立後，台南縣政府即向交通部觀光局建議將雲嘉南濱海國家風景區管理

處設置在北門鹽場。

2003年5月8日，觀光局蘇成田局長現勘北門鹽場，初步認同管理處設置在北門鹽場的適當性，包括區位、空間與可立即使用。

7月17日，台南縣政府在北門鄉舉辦「北門鹽場閒置空間再利用說明會」，明確與地方民眾溝通爭取設置風景區管理處的構想，獲得民眾的支持。

12月24日，雲嘉南濱海國家風景區成立，管理處設於台南縣北門鹽場。

爭取設置管理處的努力，終於獲得成果！

◎鹽業文化新風貌

1934年日本國內化學工業日益發展，工業用鹽需求量日鉅，加上日本人對台灣所產的工業用鹽甚感興趣，於是派員到台查勘，經評選擇定七股鄉下山仔寮附近三千八百多甲的土地，並訂定分期開發辦法；第一期工程計畫面積為393甲，大部份為海灘地，原訂三年完工，但因工程進度不順，延至1938年四月才完成，總計開闢面積為363甲，稱為七股台鹽區，因為它比鄰側的南鹽區較早開闢，又稱為舊台鹽。

七股鹽田第一期工程完工後，日本政府因二次世界大戰擴大，需鹽孔急，為擴充產能，於是在1938年六月成立南日本製鹽株式會社，並著手興建新鹽田。新的擴建計畫仍然以台灣製鹽株式會社（佔投資額二成）為主體，加上東京大日本鹽業株式會社（佔投資額五成）與台灣拓殖株式會社（佔投資額三成），總共集資一千萬日元，總開墾面積為2,684

甲；其中，採鹽面積約為1,137甲，於1942年完工。因新闢鹽田屬於南日本製鹽株式會社所有，故稱七股南鹽，以區別原有的七股台鹽。

1945年，第二次世界大戰結束，長官公署接收經營台灣鹽業，1946年改由鹽務機關接管，全台共有鹿港鹽場（鹿港鹽田）、布袋鹽場（掌潭鹽田、布袋鹽田、新塭鹽田、虎尾寮鹽田）、北門鹽場（蚵寮鹽田、王爺港鹽田、井仔腳鹽田、北門鹽田）、七股鹽場（台鹽鹽田、南鹽鹽田）、台南鹽場（安順鹽田、鹽埕鹽田、灣裡鹽田）與烏樹林鹽場（烏樹林鹽田）等六場。七股鹽場在1946年九月一場颱風過境時，堤防潰決，海水氾濫，使得鹽田瀕臨全毀，直到1948年才全部修復，恢復晒鹽。

1970年，台鹽成立新鹽灘開發工程處，開發海埔地鹽灘，位於青鯤鯓東側的馬沙溝鹽區與後港鹽區就是在1977年開發完成的，總計面積750甲，而後歸入七股鹽場，使得七股鹽場成為台灣最大的鹽場。

台灣鹽業走過三個世紀後，在進入二十一世紀時，卻面臨了戲劇性的考驗：2001年人工晒鹽的景象消失了；2001年至2002年春天，部分鹽業歷史建築因應台鹽公司民營化減資作業，被「騰空繳回」；2002年5月機械晒鹽作業也喊停。當年5月16、17、18日台鹽公司與台南縣政府合辦了「338年的汗水，12萬天的感恩——再會吧！我們的鹽田」紀念活動，在七股鹽場採收了最後一塊鹽田，為台灣鹽業338年的晒鹽史畫下一個句點。

民營化減資作業影響所及，連當年以保存台灣數百年鹽業文化資產為目的，並希望透過研究、文物典藏、展覽與教育活動，使台灣鹽業文化得以保存、傳承及再發展的「台灣鹽業博物館」，也都在營運成本考量下，隨著減資作業而繳回國有財產局，交由台南縣政府代管。

↓台灣鹽博物館。
攝影／陳俊安

↓↓七股鹽場「鹽山」（1997年）。
提供／愛鄉文教基金會

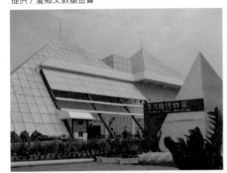

←七股鹽場。
攝影／呂宗憲

→七股鹽場「鹽山」。
攝影／陳俊安

↘夕陽下的七股鹽場。
攝影／呂宗憲

　　由於台灣鹽博物館是目前台灣唯一的鹽產業博物館，是雲嘉南濱海國家風景區的重要觀光資源，具有深刻的歷史價值，因此，台南縣政府在接管後，除了著手整合濱海相關鹽產業觀光資源，並成立跨局室執行小組及籌備委員會，蒐集由日治期間到現代與鹽相關的文物近萬件，充實館內文物典藏外，也認知到博物館經營及預算籌措不易，計畫將經營管理權轉交給教育部國立海洋生物博物館。惟為因應轉移過渡期，台南縣政府決定採取「操作管理——移交（OT）」方式，委託專業團隊經營，於2004年12月20日，由台鹽公司退休人員組成的「鹽光文教基金會」取得二年期的經營管理權。

　　2005年1月22日，台灣鹽業博物館開館營運，昔日鹽工辛苦工作的情景與鹽業文化的歷史記憶，鮮活地呈現在每一位進入鹽博館的遊客眼前。

　　除了台灣鹽業博物館外，台南縣政府也提出以台灣鹽博館為中心，結合鹽業、鹽份地帶文化、鹽鄉聚落、鹽民生活及生態保育的《台灣鹽博物館文化園區計畫》。園區中規劃有曬鹽區、親水區、鹽場生態區、戲水區和台鹽展售區，以重現鹽場風貌，並增加了園區的商業活力。此外，也計畫在鹽田體驗外，進行文化鹽田的復曬工作，以完整呈現台灣鹽業文化風貌，並計畫透過大型活動帶動觀光人潮，使七股沿海成為國際級的鹽業文化地帶。

　　期待作為台灣鹽博物館文化園區核心的台灣鹽業博物館經營主體早日確定，也期待台灣鹽博物館文化園區在整合鹽山、鹽業博物館及文化園區等地域文化資產後，能使得傳統製鹽業和台灣老鹽工的動人歷史，再度躍上時光舞台。

◎將軍漁港多元化

台南縣原有的北門、馬沙溝（原稱將軍漁港）、青山、下山等漁港是利用海岸沙洲後側的潟湖水域或鹽田、排水溝的水道，依其天然地形而興建，港面積狹小、水深不足，航道受漂砂影響進出困難，以經營拖網、刺網及定置網漁業為主。

為了解決台南縣漁港的困境，突破漁業發展的限制，政府自1991年，即於《台灣第二、三期漁港建設方案》中編列經費辦理將軍漁港（原稱

↑將軍漁港。攝影／呂宗憲

↑將軍漁港遊艇碼頭。攝影／呂宗憲

中心漁港，1999年命名為將軍漁港，而原有的將軍漁港改為馬沙溝漁港）
的各項建港工程，至2001年合計10期，已完成西南航道新口及將軍漁港
外廓防波堤、泊地28.30公頃、碼頭2,900公尺、陸上設施31.80公頃，總
投入經費25.8億元。已在2001年10月25日舉行啟用典禮。

　　將軍漁港建港完成後，除作為台南縣漁船停泊、漁貨拍賣外，由於港
區廣闊，陸域腹地達80公頃且綠地達10公頃，加以鄰近有台鹽公司的鹽
田及馬沙溝海水浴場，具有發展為漁貨直銷中心及多功能休閒漁港的潛
力。

　　為了發揮將軍漁港的潛力，蘇煥智上任後，即提出《將軍漁港觀光魚
市計畫》，希望在提升漁港原有的漁業功能外，融入觀光產業觀念，以觀

光多元化發展方式來活化漁港，使將軍漁港能夠由單一生產功能變身成為兼具漁業觀光、產業發展及休閒娛樂等多元功能的現代化漁港。

2002年，連續三年在將軍漁港舉辦「南瀛全國創意漁舟錦標賽」系列活動，為漁港轉型暖身造勢。活動期間，將軍漁港湧進數萬人潮，在星空下品嚐南瀛道地風味的虱目魚大餐，在陽光下觀賞競爭激烈的漁舟錦標賽，熱鬧無比。

2005年1月23日，投資八千萬的將軍漁港觀光魚市完工落成。

除了觀光魚市的興建計畫外，台南縣政府為了讓將軍漁港具有發展觀光漁港的優勢，透過逐步綠化、美化方式，打造漁港週邊環境，興建一座面積達3萬3千多平方公尺的休閒生態公園。

期待在觀光魚市正式營運後，將軍漁港可以搭配濱海地區的觀光景點，蛻變成人潮熙攘的新興觀光漁港，讓到這裡來的遊客可以一邊享用現撈現煮的海產，一邊欣賞海景及遊船。

◎輔導膠筏合法化

1996年後，隨著反濱南運動逐步升溫，七股地區豐沛的生態資源也逐漸獲得青睞，每逢假日遊客如織，搭船遊七股潟湖尋訪沙洲，成為熱門的旅遊項目，但隨之而來的舢舨漁筏管理問題，也開始蔓延開來。

上任後的蘇煥智，立即指示農業局草擬娛樂漁筏管理辦法，2002年5月13日，在七股鄉公所舉辦「台南縣潟湖區舢舨漁筏兼營娛樂漁業管理辦法座談會」，確認娛樂漁筏航行的水域、申請程序與安全規範等。同年9月，《台南縣潟湖區舢舨漁筏兼營娛樂漁業管理自治條例》草案出爐，

↑六孔（水產試驗所）前的碼頭與遊艇。攝影／呂宗憲

→南灣碼頭。攝影／呂宗憲

↘馬沙溝碼頭。攝影／呂宗憲

送經議會三讀通過。

2003年1月16日獲得農委會修正通過，2月12日正式公佈實施，成為全台首例。

至2005年7月底，台南縣合法申請的娛樂漁筏總計有31艘，分佈在七股潟湖周邊漁港或碼頭：西寮漁港、下山漁港（龍山）、海寮漁港、六孔水門（水產試驗所前）與南灣（潟湖最南端）等，而縣政府為了提升旅遊品質，也藉由《南瀛內海藍色公路暨沿岸城鎮地貌改造計畫》展開聚落碼頭的興建與景觀工程。

◎藍色公路得冠軍

台南縣海岸地帶在潮汐、季風及河川輸沙的作用下，孕育了豐富的濕地生態景觀，有沙洲、潟湖、紅樹林、防風林、以及運用當地潮汐特性和潮間帶開發而成的漁塭、鹽田等多樣性的地理景觀。在反濱南陣營所提的替代方案（七股潟湖風景特定區）中，就提出「構建一條北接布袋港，南接七股潟湖風景特定區內各沙洲區停泊棧橋、曾文溪口遊艇碼頭區、安平港的完整藍色公路網，再搭配曾文溪國姓橋、西港遊艇碼頭的溯溪路線，發展藍色旅遊」的構想。

2002年10月，台南縣政府依據行政院《挑戰二〇〇八：國家重點發展計畫——水與綠建設計畫——地貌改造與復育》提出《南瀛內海藍色公路暨沿岸城鎮地貌改造計畫》，由北而南規劃有五個主要碼頭：蚵寮、北門、馬沙溝、青鯤鯓和龍山；另於其他具潛力的景點設置13處渡頭：黑面琵鷺賞鳥亭、南灣、十五孔、六孔、海寮、網仔寮汕、西寮、鹽豐橋、鹽興橋、井仔腳、永隆溝、蚵寮及南鯤鯓等。

《南瀛內海藍色公路暨沿岸城鎮地貌改造計畫》經內政部營建署《城鎮地貌改造——創造台灣城鄉風貌示範計畫（競爭型）》評審委員評選獲得第一名，並核定補助七千萬元，投入渡頭或碼頭設施、漁村和聯絡橋樑

↑南瀛內海藍色公路空間架構圖。
提供／台南縣政府

的建設。

　　在聚落碼頭或渡頭等基礎建設啓動後，台南縣政府再提出「南瀛內海藍色公路」的規劃構想，試圖重新佈建一條可以串聯與組織沿海地景的新航線，北起於急水溪畔的南鯤鯓，經頭港大排進入北門潟湖、將軍溪口、北航道、南航道，迄於七股潟湖，並打通七股潟湖西南端的大潮溝串聯黑面琵鷺保育區，然後將航線延伸至曾文溪口。

　　這條藍色公路可以將原本僅供漁業生產的水域，擴大爲兼具觀光和生態教育功能的藍色公路，從水路的觀點來引導遊客欣賞與體驗沿海地區生態與景觀的豐富性和多樣性，同時也爲漁村經濟注入新的活力。

↑潟湖一景。攝影／呂宗憲

◎La New投資七股

　　La New公司相中在西濱快速道路以西、青鯤鯓以南，台鹽公司民營化減資後由台南縣政府代管的300多公頃土地，預計投資30至40億元，興建五百間客房以上的五星級生態渡假村。

　　2005年10月6日，La New公司與台南縣政府在七股鹽業博物館簽下備忘錄。熱愛生態活動的La New公司董事長劉保佑在致詞時表示：自己熱愛生態活動，La New公司也以注重健康為號召，生態村的開發一定會符合生態的要求。

　　這是La New公司第一個觀光休閒產業，也是七股鄉第一個可能的大型生態遊憩中心投資計畫。雖然備忘錄沒有法

↑七股一帶遍佈的水路都是優質的養殖場。
攝影／呂宗憲

↑夕陽下的觀海樓。攝影 / 呂宗憲
↓七股一帶四處可見的紅樹林。攝影 / 呂宗憲

律效力，未來的規劃與相關程序還需要一段時間，但不管如何，La New公司青睞七股，計畫投資符合生態要求的渡假村，讓《蘇煥智版的台南濱海國家風景區》又向前跨了一步。

遺憾的是，《濱南工業區開發計畫環境影響評估報告書》審查結論及《環境影響評估報告書》摘要的公告，又讓這一步停了下來。

南科園區發展快　用水會排擠

「台南科學工業園區」的設置緣起於1990年10月，國科會正式提報建議行政院設置第二科學工業園區。這項建議列入1991年提出的《國家建設六年計畫》。

1993年2月25日，國科會完成設置第二科學工業園區可行性研究，後經區位評選委員會三次會議，台南縣新市基地獲得推薦，1995年2月23日經行政院同意，台南縣新市基地正式成為南部科學工業園區區址。

1996年1月20日，台南科學工業園區動土，台積電等8家廠商當場簽署投資意願書。3月1日起接受廠商入區申請。

歷經多年的努力，廠商陸續進駐，國內外高科技人員也陸續湧入，台南科學工業園區成了台南縣經濟發展的動脈，2005年年營業額超過3,500億，園區就業人口數超過4萬人（不含外勞）。

為了持續南科的發展，如何形塑一個富有魅力的生活環境，提供海內外科技人優質的居住場所，讓南科人根留台南縣，已成為台南縣科技產業發展的重要課題。這幾年下來，台南縣政府積極地推動了幾項令人印象深刻的計畫：

1. 台南科學園區特定區開發招商計畫：提出全國首創的「浮動分區」的開發概念，以創新、專業及堅毅的執行力，建立高彈性與高效率的開發模式，使得液晶專區僅1.5年、L&M區也只2年即完工，比政府自辦的開發效率要快一倍以上，又不花中央政府一毛錢，至2005年年底已完成254億的建設，成為全國典範。

2. 南科液晶電視及產業支援工業區計畫：選定南科特定區內第一期開發區890公頃內約247公頃的土地辦理變更編定，闢建為「南科液晶電視及產業支援工業區」，推動南科光電產業專區的設立。這不僅呼應政府推動的「兩兆雙星」政策，也符合南科園區光電產業建廠需求，加速液晶工業專區的聚落效應。

3. 南科康橋計畫：以英國康橋（Cambridge）優雅的水體與水岸綠地作為概念，整合南科特定區排水道、大型生態滯洪池及水體周邊的公園綠地等開放空間，劃設靜態公園，建構園區員工及附近居民的親水空間，提供作為休憩、散步、慢跑等活動用途，打造出科技、人文及休閒特有景觀，讓兼具科技與人文氣息的康橋美景現身於南科。

在南科的擴充發展下，水從哪裡來？濱南案一旦獲准開發，水又從哪裡來？依據南科的水源規劃，南科預估最終每日需水量為20餘萬噸，其中，自來水公司同意每日提供9.93萬噸，主要水源為曾文及南化水庫，可滿足園區至2005年底的需求，嘉南農田水利會則同意提供10.9萬噸。而濱南工業區估計每日用水量約20萬噸，水資源局只承諾每日供水8萬噸，且至2006年為止。濱南案不足的水要從哪裡來？以南科的經驗來看，當然是移用農業用水，移用的單價是多少？以南科為例：農田水利會希望每噸10元，南科管理局希望降為8元；以後濱南案進來搶水，費用要怎麼算？有那麼多農業用水可以移用嗎？排擠現象的出現，已經毋庸置疑！

國際空港貿易區　正反有爭議

　　興建南部國際機場，把國際機場蓋在七股，不是蘇煥智上任後才有的計畫，而是從陳唐山縣長任內就開始推動。1993年，交通部委託的評估計畫指出：興建南部國際機場為政府勢在必行、刻不容緩的建設。至於南部國際機場的候選地點中，則以七股最佳，理由包括：七股位於南部產業地理中心、沿海腹地廣大、空域優良、氣候適宜、土地取得容易、開發成本低與環境衝擊較小等優勢。

　　七股國際機場的計畫地點位於七股潟湖西北側海底未浮出的沙洲，基地長6公里、寬4公里，面積約2,400公頃，距七股海岸約5公里。場址所在地有一個海底沙脊，是濱南案計畫用來當作錨泊區的區位，也是濱南案計畫抽沙造地的沙源。在反對濱南案的過程中，環保團體就指出：計畫用地重疊，且機場的十年計畫工期與濱南案的抽沙工期重疊，未來除了得面臨搶沙與搶土的爭端外，也進一步加重海岸流失的危機。後來，濱南案的環境影響評估結論中清楚記載：「為顧及海岸穩定及生態資源保存，不應抽取規劃錨泊區海中沙脊之砂源。」

　　當時，環保團體對於同樣需要抽取大量海沙的七股國際機場，能否通過環境影響評估的審查，保持懷疑，並「希望」台南縣、市政府能夠秉持維護生態環境、保障人民安全的原則，以免在人民還沒有享受到這一類大型建設的成果前，就先嚐到海岸線破壞、生態遭劫的苦果。至於各級政府與各級民意代表，則幾乎沒有人反對，甚至被誤認為反對者，都必須發布新聞稿澄清。

在七股外海興建國際機場的計畫送到交通部後，就沒有進一步的消息了！

蘇煥智就任縣長後，著眼於台南科學園區廠商提昇國際競爭力的迫切需求，考量新一代超級航機A380將投入商轉，而中正機場的跑道只有3,660公尺，不敷使用，至於小港機場則因跑道不夠長，尚有宵禁問題無法解決，因此開始推動七股南部國際空港暨自由貿易港區計畫，將原計畫在外海的場址，內移到七股鄉與將軍鄉臨界台鹽民營化減資後的鹽田與部分漁塭，計畫用地面積2,000公頃。其中，機場用地500公頃，自由貿易港區用地1,500公頃，並準備採取BOT模式進行開發，由政府取得用地，民間投資開發機場及自由貿易港區。其中，機場部分設置二條4E級（4,000m × 60m）跑道，自由貿易港區部份設置航空快遞中心、自由貿易區、航太工業區、經貿商務中心等設施。

2003年1月10日，台南縣政府與金國產國際企業集團簽訂「南部國際空港暨自由貿易港區BOT投資案」備忘錄。

2003年8月27日，台南縣政府與GHK盈智經濟管理顧問公司簽訂「南部國際空港暨自由貿易港區國內外招商計畫先期作業」契約，委託研擬招商策略、辦理招商說明會、編撰招標文件草案、製作說帖與安排投資者考察等。

消息傳出，贊成與反對的聲浪通通出籠，甚至有人諷刺蘇煥智要蓋「七股雞場」，要為黑面琵鷺蓋「跑道」。在正反聲音中，除了就供需面互有爭議外，另一個令人不解的是蘇煥智反對濱南案的立場與原則，包括對於黑面琵鷺的衝擊及對當地居民居住權的影響。

面對質疑，蘇煥智解釋：七股蓋國際機場是延續蕭萬長院長和陳唐山

縣長的政策，再做更合時宜的修正提案。反對濱南開發案的主要原因為：濱南案是高耗水、高耗能且又是重污染的鋼鐵及石化業開發計畫，產生的酸雨及懸浮微粒，將嚴重影響南科廠商的投資意願；更嚴重的是，台灣最大的七股潟湖可能因此消失。至於影響黑面琵鷺生態保護區的質疑，蘇煥智也強調：黑面琵鷺保護區距離機場15公里，在機場噪音管制區外，不會受到影響。至於影響居民居住權的部分，縣政府一定會全力做好頂山村遷村案賠償，不會讓居民權益受損。

看起來，需要更多的溝通說服對方！

讓我納悶的是，蘇煥智的說法，濱南案的開發單位與贊成濱南案的人好像說過：「……廠址亦非黑面琵鷺的覓食範圍」、「……廠址開發對距離約九公里的黑面琵鷺棲息地，並無直接的影響。」（參考「黑面琵鷺及自然保育與漁業及其他（1998.6.25、1999.1.29、1999.5.15）」）

至於開發區域內居民居住權的安排，濱南案開發單位對於開發範圍內的漁業補償也說過：會做好補償。而當時贊成濱南案的台南縣政府也承諾將在通過環評確定開發範圍後，協調籌組「漁業補償協調委員會」處理相關事宜。

就「七股蓋國際機場」這件事，我也是需要被說服的對象之一。

六一二水災衝擊　潟湖是關鍵

2005年6月12日開始的豪大雨，讓台南縣內逾半鄉鎮前後三次陷入淹水的夢魘，包括七股在內的沿海鄉鎮對外交通完全中斷，有如孤島。

↑西南航道出海口，左邊是潟湖，右邊是台灣海峽。
攝影／呂宗憲
→昔日的網仔寮沙洲，面臨流失的危機。
提供／愛鄉文教基金會

　　對於歷經多次颱風豪雨，總能安然無恙的台南縣沿海鄉鎮而言，六一二水災應該是意料之外的衝擊！過去以來，當地居民常把這個福份歸因給台南沿海擁有兼具防洪功能的潟湖，當地的保育與環保團體甚至把七股潟湖稱作是保障人民生命財產安全的「台江守護神」，主張妥善保護潟湖，不要被用來開發濱南工業區。

　　這些曾是家園守護神的潟湖到底發生了什麼變化？經過這次的大水災衝擊，台南縣政府痛心檢討，發現水災氾濫的問題在於離岸沙洲的流失與潟湖的逐漸縮小淤平：

　　1. 離岸沙洲侵蝕流失，天然防波堤喪失防禦暴潮功能：依據1989年與

←網仔寮沙洲在2005年612水災後破了一個洞。提供 / 台南縣政府

↙網仔寮沙洲近13年來位移情況。提供 / 台南縣政府

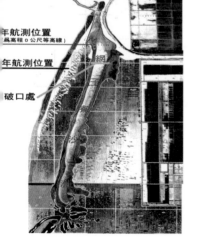

2002年網子寮沙洲航測圖比對結果，發現最近14年間，網子寮沙洲退縮約700公尺（即每年退縮50公尺），而沙洲高度也從6.5公尺劇降至1公尺，2005年在連續遭到海棠、泰利颱風侵襲下，巨浪直接越過沙洲，把沙洲衝擊出一個大破洞，湧浪長驅直入，導致大寮排水出口受阻，造成上游的七股、佳里地區水患。

2. 潟湖逐漸縮小淤平，喪失自然滯洪功能：由於離岸沙洲向東退縮造成潟湖面積急劇縮小，另一方面颱風巨浪沖蝕沙洲，將沙土帶入潟湖致使潟湖逐漸淤平、陸化，導致北門、七股潟湖逐漸喪失天然滯洪功能，無法容納將軍

溪、大寮排水和七股溪上游的洪水，造成將軍、七股、學甲、麻豆、佳里等地區淹水情形嚴重。

由於北門、七股潟湖是台灣主要的牡蠣養殖區，也是觀光漁筏的發源地，一旦潟湖淤平、陸化，將造成漁民大量失業。此外，潟湖在海水淡水的交互作用下，營養豐富，是沿海魚苗的重要哺育場所，倘若淤淺消失，恐將造成沿海漁業資源枯竭的嚴重後果，連帶地使得區域排水的問題更趨惡化。

面對挑戰，台南縣政府提出搶救復育對策：

1. 運用親水柔性工法保護離岸沙洲：清疏北門、七股潟湖150萬方的淤沙，以打樁編柵方式回填培厚離岸沙洲，將10公里長的沙洲加高3公尺，培厚50公尺，以鞏固天然防波堤，填塞沙洲缺口，遏止暴潮海水倒灌。

2. 參考荷蘭、歐洲經驗，於潮口設置防潮閘：荷蘭地勢低，每逢暴潮海水倒灌，便造成重大淹水災害，因此在北海及西南沿海地區興建一連串的離岸海堤及防潮閘，將暴潮阻擋於外海，並降低內海（潟湖）水位，形成天然滯洪池承納上游洪水，成效顯著；英國也在泰晤士河口設置有大型的防潮閘，義大利政府為搶救威尼斯也計畫在潟湖缺口設置防潮閘。2005年海棠、泰利颱風期間，台南將軍潮位站測得的外海暴潮高達1.9公尺，導致海水循將軍溪河道倒灌，佔據排洪斷面，上游洪水無處宣洩，溢淹兩岸，造成嚴重水患，因此，可在北門、七股潟湖潮口興建3公尺高的防潮閘，配合沙洲防禦暴潮入侵，讓潟湖形成大型海岸滯洪池，以容納將軍溪、大寮排水、劉厝排水的洪水，減輕學甲、麻豆、佳里、將軍、七股等地水患。

3. 加強沙洲及潟湖監測維護工作：為確保離岸沙洲沖淤平衡，建議成立專責單位負責長期監測，一旦發現沙洲侵蝕及潟湖淤積惡化，即刻辦理清疏與沙洲加高培厚等維護工程，方能確保離岸沙洲的動態平衡。

看到潟湖因大自然反撲所遭受的傷害，想到家旺伯在農曆年初一告訴我的：最近潟湖的漁獲少了很多！讓我更深一層地體會到「台江守護神」的意義，也進一步警覺到在大自然反撲之下，人類若不能停止私慾的作祟，反而一再地貪婪，惡性循環的結果，受傷的將不只是潟湖、不只是沙洲，而是：

台灣，土地，我們敬愛的母親！

Epilogue 尾聲

準備暖身 再度出發

誠如環保署在環保新聞與訊息快訊所說：「本案審查結論明列，有關工業專用港及海水淡化廠設置，還要另案實施環境影響評估。又因為本案是依據《促進產業升級條例》申請報編為工業區，目前可行性報告尚未經內政部區域計畫委員會審議。換句話說，現在談本計畫能否執行還太早。而且在環評委員會作成審查結論後，才有雲嘉南國家風景區劃設，有關本工業區和國家風景區競合問題，將由區域計畫主管機關審慎審查。」

後頭還有艱辛的路要走，包括台南縣政府函請環保署依《行政程序法》第123條廢止《濱南工業區開發計畫環境影響評估報告書》審查結論及《環境影響評估報告書》摘要的公告、內政部區域計畫委員會的審議、工業專用港與海水淡化廠的環境影響評估。

當然，也包括環保團體在2006年2月17日提出的訴願程序。

這個故事還沒有結束，我只是先在這裡畫上一個小小的句點，暖身之後還是要再度出發！

To Be Continued ......

攝影／王徵吉

黑面琵鷺小檔案

英名：Black-faced spoonbill　　　　**學名**：Platalea minor

台語：La飛‧黑面仔　　　　　　　**分類**：朱鷺科

形態：最大特色在於黑、長而末端寬扁如湯匙狀（或琵琶）的嘴巴，搭配雪白的外衣、修長的
　　　　黑色腳丫，還有，臉部的額頭、眼睛四周與面部都是黑色；雪白的外衣，到了第二年春
　　　　天準備北返繁殖時，成鳥的頭部和胸前開始長出黃色的繁殖羽，容貌非常搶眼。

體型：嘴長，雄鳥長約19～21公分，雌鳥17～18公分。展翼寬度約130～142公分。從嘴尖到
尾巴末端全長74～85公分。腳長25～30公分。站立高度50～60公分。體重1,460～
2,050公克。

生態：單獨或成小群出現於海岸附近、河口、沙洲等淺水地帶。覓食時，以嘴在水中左右掃動
捕食水中生物。夜間覓食，於白天休息。臺灣臺南曾文溪口是全球最大的棲息地，於
2002年公告為黑面琵鷺保護區。

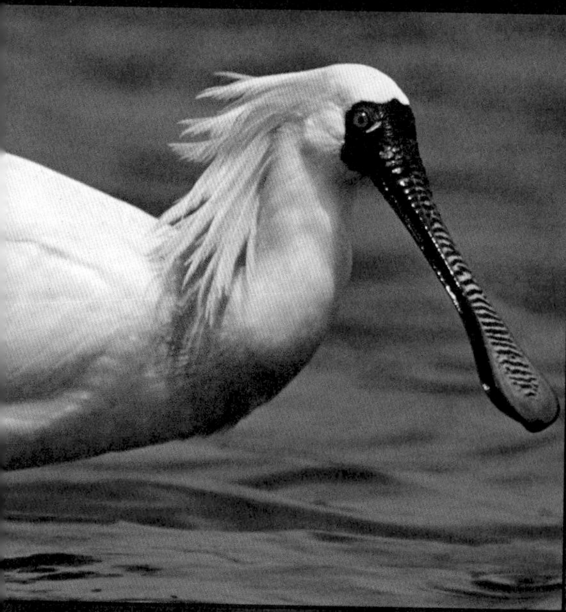

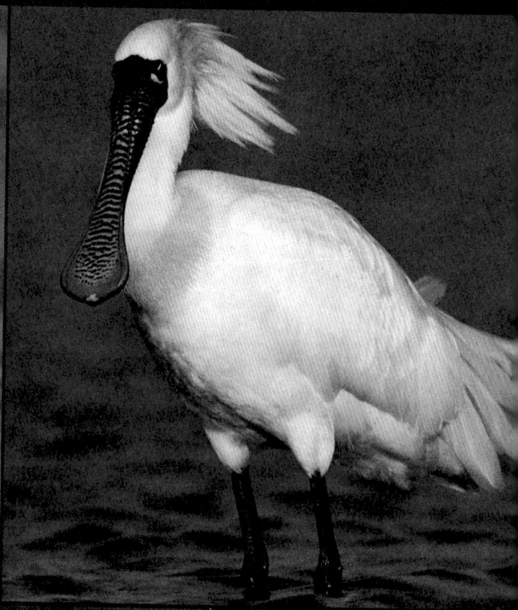

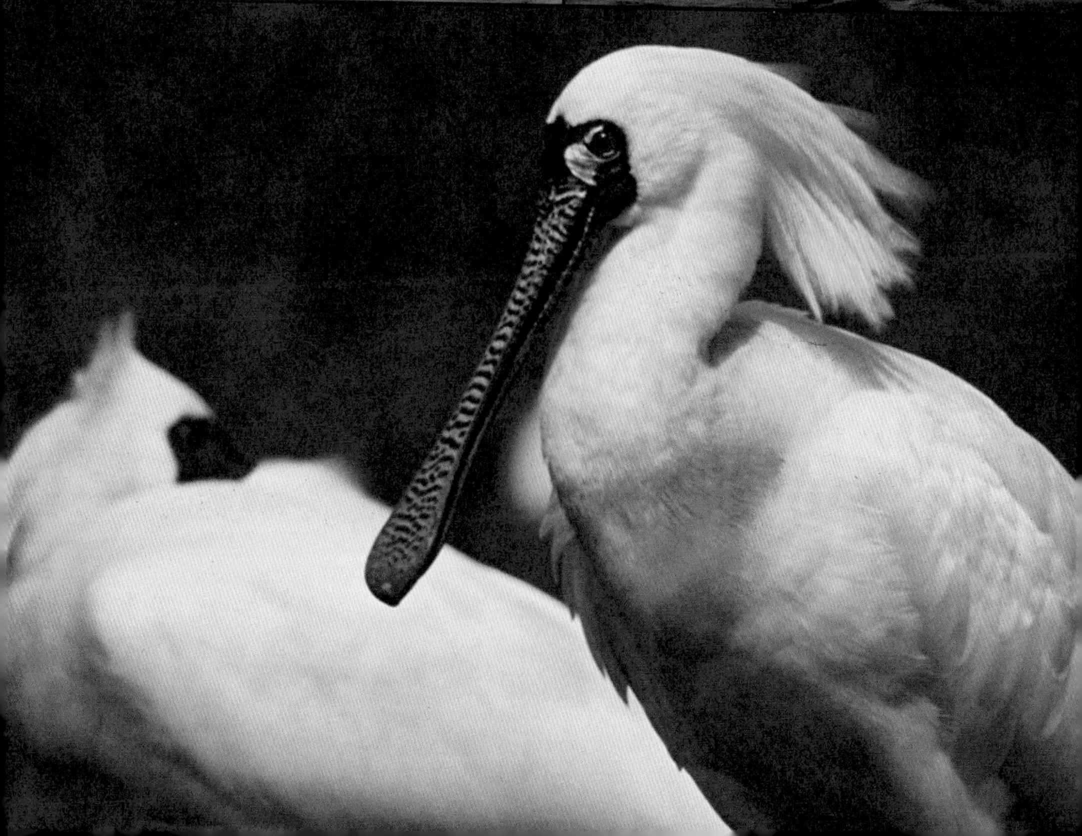

分布：黑面琵鷺是一種遷移性鳥類（候鳥），夏天時出現在溫帶的繁殖區，秋、冬季節南下到
亞熱帶及熱帶的渡冬區，到了春天又北返回到繁殖區。遼寧外海與南韓、北韓西部外海
的岩石小島是目前已被確定的黑面琵鷺繁殖地點。臺灣臺南曾文溪口、香港后海灣的米
埔沼澤及福田保護區與越南的紅河三角洲為已知的主要渡冬地點。

攝影／王徵吉

數量：

依據2006年1月17日香港觀鳥會在「黑面琵鷺研究和保育國際研討會」公佈的全球普查數字，

2005年為1,664隻，比2004年的1,475隻多出189隻，其中，在台灣渡冬棲息的就有826隻。

附錄─反濱南記事

時　　間	記　　　　　事
1993.06.10	燁隆集團向經濟部工業局提出「鋼鐵城」計畫，申請在台南縣七股工業區內投資興建年產粗鋼650萬公噸的精緻一貫作業鋼廠計畫，用地面積需求約1,000公頃。
1993.06.30	東帝士集團總裁陳由豪宣布籌建煉油廠及芳香烴廠，提出七輕建廠計畫。
1993.09.27	東帝士集團提出石化綜合廠投資計畫。
1993.10.29	經濟部原則同意東帝士集團的石化綜合廠投資計畫依照《促進產業升級條例》相關規定，開發台鹽總廠七股鹽場1,500公頃土地作為廠區用地。
1993.11.29	七股工業區開發計畫環評被駁回，燁隆集團鋼鐵城計畫用地轉向台鹽總廠七股鹽場。
1994.01.15	台南縣政府、台鹽公司、東帝士、燁隆集團協商獲致協議：東帝士原則同意燁隆集團共同利用海埔新生地設廠，並共同開闢工業專用港。
1994.04.14	工業局召開協調會，分配開發單位的用地面積。
1994.05.13	蘇煥智在立法院第十會議室，召開「七輕、燁隆七股開發案公聽會」。
1994.08.09	工業局函示開發單位申請編定工業區範圍，並請開發單位依照《促進產業升級條例》相關規定辦理編定事宜。
1994.08.21	「台灣海岸保護協會」在台南縣佳里鎮北門高中禮堂舉行成立大會，成大統計系黃銘欽教授擔任召集人。
1994.08.24	燁隆集團、東帝士集團與環評工程顧問公司到台南縣政府簡報開發案。
1994.08.31	東帝士集團對外透露，東帝士集團已與燁隆集團將兩個投資案合併訂名為「濱南工業區綜合開發計畫」。
1994.09.11	「濕地國家公園／高科技工業園區促進會」在七股鄉頂山村漁民活動中心宣佈成立。

1994.09.12	濕地國家公園及高科技工業園區促進會、漁權會等團體到台南縣政府抗議,表達反七輕立場。
1994.09.12	東帝士、燁隆集團在台南縣佳里鎮設立「濱南工業區聯合開發籌備辦公室」,推動濱南案建廠遊說工作。
1994.09.30	台灣海岸保護協會、台灣教授協會、濕地國家公園/高科技工業園區促進會與台灣環保聯盟等,在立法院群賢樓九樓大禮堂宣佈成立「反七輕、反大煉鋼廠行動聯盟」。
1994.10.07	蒙面歹徒三人進入反七輕反大煉鋼廠行動委員會總幹事陳朝來家中,欲殺害其全家,幸未得逞。
1994.10.08	在七股鄉頂山村代天府舉辦反濱南說明會。
1994.10.09	在七股鄉篤加村文衡殿舉辦反濱南說明會。
1994.10.10	在七股鄉中寮村天后宮舉辦反濱南說明會。
1994.10.15	在七股鄉十份村聖護宮舉辦反濱南說明會。
1994.10.16	在七股鄉三股村龍德宮舉辦反濱南說明會。
1994.10.22	在七股鄉竹橋村慶善宮舉辦反濱南說明會。
1994.10.23	在佳里鎮新生路舉辦反濱南說明會。
1994.10.24	在七股鄉西寮村西興宮舉辦反濱南說明會。
1994.10.25	在七股鄉龍山村長壽俱樂部舉辦反濱南說明會。
1994.10.30	在將軍鄉青鯤鯓朝天宮舉辦反濱南說明會。
1994.10.31	在將軍鄉馬沙溝大廟前舉辦反濱南說明會。
1994.11.02	反七輕、反大煉鋼廠搶救濕地聯盟拜會民進黨中央黨部。
1994.12.05	東帝士及燁隆集團製編《濱南工業區開發計畫可行性規劃報告》及《濱南工業區開發計畫環境說明書》送交台南縣政府、省政府及經濟部工業局轉環保署審查。
1994.12.20	台南縣政府公佈《濱南工業區開發計畫可行性規劃報告》及《環境說明書》審查進度,預訂1995年一月中旬由業者簡報、會勘廠址,二月中召開公聽會,三月進行審查決議是否通過送交省政府。

1994.12.30	蘇煥智、搶救濕地聯盟、生態保育聯盟各加盟團體、台灣環保聯盟等於立法院第九會議室召開「七股濕地開發案環境衝擊評估會議」。
1994.12.30	《環境影響評估法》正式實施。
1995.01.06	愛鄉文教基金會與蘇煥智國會辦公室委託巨濤視聽製作傳播公司拍攝「西濱之美」。
1995.01.15	愛鄉文教基金會、台灣特有生物研究保護中心、台南市野鳥學會、水產試驗養殖中心等舉辦「西濱之美、濕地之旅」活動。
1995.01.19	蘇煥智、台灣教授協會林明男博士、濕地保護聯盟翁義聰老師、濕地國家公園／高科技工業園區促進會會長陳朝來、青鯤鯓村村長王燕宗等人於台南縣社會福利中心召開「七股開發問題面面觀記者會」。
1995.01.20	在台南縣政府第一會議室召開「台南縣濱南工業區工業用地報編興辦工業人簡報及會勘前說明會」。
1995.01.23	環保團體代表到濱南工業區計畫廠址勘查，並拜會台南縣陳唐山縣長。
1995.02.04	影片「西濱之美」開鏡。
1995.02.05	舉辦「西濱之美、濕地之旅」第二梯次活動。
1995.02.10	漁民、鹽民到七股鹽場抗議，反對財團併吞台鹽土地。
1995.02.23	台南縣政府在經濟部工業局第八會議室邀請環保署、內政部、經濟部等單位研商東帝士石化綜合廠及燁隆精緻一貫作業鋼廠申請報編工業用地作業程序。
1995.02.26	舉辦「西濱之美、濕地之旅」第三梯次活動。
1995.03.14	民進黨社運部發表《台南縣濱南工業區開發案瞭解報告》。
1995.03.15	影片「西濱之美」完成。
1995.03.22	民進黨第六屆中常會第三十二次會議決議重申「匡正過去破壞生態環境之經濟掛帥政策，確立生態保育及生活品質優先之原則」，並要求陳縣長加強對台南縣濱南工業區開發案的關注與監督。
1995.03.22	影片「西濱命運的抉擇」剪接完成。
1995.03.24	「台南縣濱海溼地規劃問題之探討」公聽會。
1995.03.25	「反七輕、反大煉鋼廠行動委員會」在佳里鎮佳里國小宣布成立。

1995.04.14	「大七股地區整體規劃與開發住民權益促進會」在七股國小召開籌備大會。
1995.05.18	環保署將《濱南工業區開發計畫環境影響說明書》程序審查結果，函請開發單位釐清及補充相關資料。
1995.05.23	反七輕、反大煉鋼廠行動委員會副會長汪旺恩夫婦遭砍殺二十幾刀。
1995.06.09	開發單位編製《濱南工業區開發計畫環境影響說明書程序審查補充暨意見答覆說明》送台南縣政府、省政府及經濟部工業局轉環保署。
1995.07.03	反七輕、反大煉鋼廠行動委員會到經濟部與工業局抗議。
1995.08.03	環保署會同環評委員、學者專家、相關機關及團體辦理現場會勘，開發單位於現勘路線進行現場簡報。現場勘察時，黃偉哲遭贊成濱南案人士毆傷。
1995.08.26	環保署將《濱南工業區開發計畫環境影響說明書初審書面意見》函請開發單位儘速補正相關資料。
1995.09.25	「大七股地區整體規劃與開發住民權益促進會」成立。
1995.09.26	開發單位編製《濱南工業區開發計畫環境影響說明書初審書面意見答覆說明》，送請經濟部工業局轉環保署審查。
1995.11.10	環保署召開「濱南工業區開發計畫環境影響說明書專案小組第一次初審會議」。
1995.11.28	環保署召開「環境影響評估審查委員會第二十二次會議」，將濱南工業區開發計畫原案撤銷，由開發單位另提替代方案。
1995.12.29	開發單位編製《濱南工業區開發計畫環境影響說明書專案小組初審書面意見答覆說明》送環保署。
1996.01.18	環保署召開「濱南工業區開發計畫環境影響說明書補正資料專案小組第二次初審會議」。
1996.01.31	開發單位編製《濱南工業區開發計畫環境影響說明書補正資料專案小組初審會議意見答覆說明》送環保署。
1996.02.06	環保署召開「濱南工業區開發計畫環境影響說明書補正資料專案小組第三次初審會議」。
1996.02.13	環保署召開「環境影響評估審查委員會第二十四次會議」。

1996.02.14	開發單位編製《濱南工業區替代方案環境影響說明書》送經濟部工業局轉環保署審查。
1996.04.18	十四個環保團體於台南縣政府召開「反對濱南工業區開發案記者會」。會後遭數十人包圍，雙方發生衝突。
1996.04.19	環保署召開「濱南工業區替代方案環境影響說明書專案小組第四次初審會議」，建議有條件進行第二階段環境影響評估，並提出七項附帶條件。
1996.05.06	環保署召開「環境影響評估審查委員會第二十六次會議」決議濱南案有條件進入第二階段環評。
1996.06.01	舉辦「觀光休閒漁業規劃與發展研討會」。
1996.06.04	舉辦「自然生態解說師資培訓營」。
1996.06.10	蔡勳雄先生就任環保署署長。
1996.06.22	經濟部長王志剛對外表示：濱南工業區預估在六個月內動工。
1996.06	環保團體與學生社團發起一人一信反濱南工業區，寫信給總統李登輝先生、經濟部部長王志剛先生、台南縣縣長陳唐山先生。
1996.07.13 ～07.17	舉辦「鯤瀛文史研習營」。
1996.08.07	大七股地區整體規劃與開發住民權益促進會揚言要以五百顆汽油彈及一千名「少年仔」反制參加南瀛苦行人士。
1996.08.08	「愛鄉護水拯救南台灣水資源行動聯盟」代表鍾秀梅與翁自得等人拜會高雄市長吳敦義，邀請吳市長加入護水行動。
1996.08.09	南部四縣市40個環保社團及各級民意代表宣佈成立「愛鄉護水拯救南台灣水資源行動聯盟」。
1996.08.09	舉辦「愛鄉土‧反七輕‧南瀛苦行」行前說明會。
1996.08.11 ～08.18	舉辦「愛鄉土‧反七輕‧南瀛苦行」。
1996.08.20	東帝士及燁隆集團在七股鄉昭明國中召開「濱南工業區開發計畫石化綜合廠、精緻一貫作業鋼廠暨工業專用港替代方案環境影響說明書說明會」。
1996.08.21	高雄市吳敦義市長邀集工業局、環保署、自來水公司等單位召開「南區水資源研討會」。

1996.09.03	在七股鄉篤加村舉辦反濱南說明會。
1996.09.04	在將軍鄉馬沙溝、青鯤鯓舉辦反濱南說明會。
1996.09.06	在七股鄉頂山村舉辦反濱南說明會。
1996.09.07	在西港鄉慶安宮舉辦反濱南說明會。
1996.09.08	舉辦「1004大請願動員大會」。
1996.09.08	在佳里鎮子良廟、佳里興舉辦反濱南說明會。
1996.09.10	蘇煥智舉辦「油品自由化公聽會」。
1996.09.13	在七股鄉中寮、大寮舉辦反濱南說明會。
1996.09.14	在北門鄉北門、蚵寮舉辦反濱南說明會。
1996.09.17	蘇煥智舉辦「濱南開發與國有土地使用公聽會」。
1996.09.20	在七股鄉玉山村、將富村舉辦反濱南說明會。
1996.09.21	「反濱南護水愛鄉行動聯盟」成立。
1996.09.21	在西港鄉劉厝、大竹林舉辦反濱南說明會。
1996.09.22	「七股海岸保護協會」成立。
1996.09.22	在學甲鎮中洲、慈濟宮舉辦反濱南說明會。
1996.09.22	台南市環保聯盟、濕地保護聯盟、台南市野鳥學會等發起「保全台南，為希望而行」遊行活動。高雄綠協舉辦「濱南工業區與綠色企業公聽會」。
1996.09.24	蘇煥智舉辦「七輕之水何處來？濱南工業區開發案對南部水資源的衝擊公聽會」。
1996.09.26	在七股鄉樹林村舉辦反濱南說明會。
1996.09.27	舉辦「七股潟湖賞月聯歡會」。
1996.10.01	「青鯤鯓反污染抗爭委員會」成立。
1996.10.03	舉辦「1004全國反濱南護水愛鄉聯合大請願行前會議」。
1996.10.04	舉辦「1004全國反濱南護水愛鄉聯合大請願」。
1996.10.07	蘇煥智在立法院經濟委員會中為反七輕、反大煉鋼廠向經濟部王志剛下戰帖，卻引發林明義委員前去強奪並撕毀戰帖，毆打蘇煥智。
1996.10.08	蘇煥智利用國事論壇點名要求「不抓林明義、掃黑是假的」，林明義委員在情急之下公然揮拳擊中蘇煥智太陽穴。
1996.10.08	蘇煥智到監察院要求彈劾環保署署長。

1996.10.09	六百位以上的鄉親北上聲援蘇煥智，並要求立法院譴責暴力。
1996.10.09	全民衛視錄製「七輕動工是得是失？」
1996.10.11	環保署召開「濱南工業區範疇界定第一次會議」。
1996.10.11	非凡電視台錄製「經理台灣兩極對談──談七輕」。
1996.10.12	蘇煥智拜訪台南縣政府，懇請陳唐山縣長站出來一起反七輕、反大煉鋼廠。
1996.10.13	調查局南機組破獲聯友信集團涉嫌販售高達上百億台幣的發票案，總共有燁隆集團等近四十家公司，涉嫌虛購發票。
1996.10.18	國際濕地組織亞太召集人Taej Mundkur訪問七股，舉辦記者會與演講會。
1996.10.18	蘇煥智發表「懇請陳縣長反七輕反大煉鋼廠」初選登記聲明，投入民進黨台南縣縣長初選。
1996.10.20	「七股潟湖國家風景區促進會」成立。
1996.10.21	國際濕地組織亞太召集人Taej Mundkur拜訪農委會。
1996.10.24	台南縣政府對濱南案提出開發備忘錄：1.要求將用水量降至每日10萬噸、2.專用港以臨近的漁港取代。
1996.10.25	「西濱國家風景區促進會」成立。
1996.10.30	經濟部召開「台南濱南工業區用水供水計畫說明會」。
1996.11.01	在安定鄉管寮舉辦反濱南說明會。
1996.11.02	在善化鎮六分寮、胡厝寮舉辦反濱南說明會。
1996.11.03	在新市鄉大社舉辦反濱南說明會。
1996.11.08	在麻豆鎮、官田鄉東西庄舉辦反濱南說明會。
1996.11.09	在中營舉辦反濱南說明會。
1996.11.10	在柳營果毅後、小腳腿舉辦反濱南說明會。
1996.11.11	環保署召開「濱南工業區範疇界定第二次會議」。屏東藍色東港溪保育協會周克任被出席該會議的贊成濱南案人士毆打成傷。
1996.11.16	在六甲鄉、官田鄉二鎮舉辦反濱南說明會。
1996.11.18	在新營市土庫里、新港東東興宮舉辦反濱南說明會。
1996.11.21	中華民國濕地保護聯盟、中華民國野鳥學會、台南市野鳥學會、高雄市野鳥學會、崑山技術學院環工科共同舉辦「黑面琵鷺保護區劃設原則研討會」。

1996.12.27	蘇煥智舉辦「全球氣候變遷綱要公約對台灣產業所造成的衝擊與因應之道公聽會」。
1997.02.02	民進黨台南縣縣長黨內初選揭曉,蘇煥智宣佈失敗,並發表聲明堅持反七輕的立場不變,也請民進黨黨內同志支持陳唐山競選連任。
1997.02.14	環保署召開「濱南工業區範疇界定第三次會議」。
1997.02.22	環保署召開「濱南工業區範疇界定第四次會議」。
1997.03.05	環保署召開「濱南工業區範疇界定第五次會議」。
1997.04.23	蘇煥智舉辦「因應氣候變遷綱要公約公聽會」。
1997.05.21	經濟部召開「濱南工業區用水計畫審查會」。
1997.05.26	台灣大學建築與城鄉研究發展基金會舉辦「環境資源永續發展國際研討會」,共同發表一篇標題「一個瀕臨絕種的島嶼──台灣,黑色的海岸線──濱南工業區」給李登輝總統的公開信;同時也發表五個國際學者的「不懂」。
1997.06.23	開發單位編製《濱南工業區開發計畫石化綜合廠、精緻一貫作業鋼廠暨工業專用港替代方案環境影響評估報告書》送經濟部工業局。
1997.06.24	高雄地方法院檢察署林應華檢察官懷疑燁隆集團以虛開發票的方式,製造假業績,膨脹營業額,涉嫌灌水上市與超額貸款,指揮調查局南機組大舉搜查燁隆集團十二家關係企業。
1997.06.27	邀請農委會漁業處謝大文處長、林業處陳溪州前往七股潟湖考察漁業與生態資源,乘船到離岸沙洲體驗生態之旅。
1997.07.07	愛鄉文教基金會與台灣大學台南一中校友會在台灣大學舉辦「台南文史研習營」。
1997.07.11	蘇煥智與柯建銘拜訪經濟部長王志剛表達對濱南工業區用水計畫的疑慮,並請經濟部審慎考量,避免衝擊到台南科學園區。
1997.07.15	經濟部工業局舉辦「濱南工業區開發計畫現場勘察(取消)」。
1997.07.16	經濟部工業局舉辦「濱南工業區開發計畫聽證會(取消)」。
1997.07.19	邀請環保署署長蔡勳雄前往七股潟湖考察生態資源,乘船到離岸沙洲體驗生態之旅。
1997.07.20	「七股潟湖觀光赤嘴園」揭幕。

1997.07.26	開發單位在七股鄉昭明國中舉辦「漁業賠償、回饋方案與隔離帶規劃座談會」。
1997.08.15	蘇煥智舉辦「濱南工業區對台南科學園區影響之評估公聽會」。
1997.10.04	蘇煥智舉辦「永續台灣VS綠色GNP公聽會」。
1997.10.05	由台南市環保聯盟、愛鄉文教基金會、濕地保護聯盟等共同在七股鄉十份村成立「國際黑面琵鷺保育中心」。
1997.10.31	「國際黑面琵鷺救援聯盟」成立。
1997.11.13	蘇煥智、趙永清、范巽綠、柯建銘等立法委員與環保團體合辦「因應氣候變遷綱要公約公聽會」。
1997.12.04	籌組「京都會議國會觀察團」赴日觀察氣候變化綱要公約締約國第三次會議（COP3）。
1997.12.08	經濟部工業局舉辦「濱南工業區開發計畫現場勘察」。
1997.12.09	經濟部工業局舉辦「濱南工業區開發計畫聽證會」。
1997.12.11	氣候變化綱要公約締約國第三次會議（COP3）簽署溫室氣體減量協議（京都議定書）。
1998.02.18	第二階段環境影響評估期限起算日。
1998.03.13	蘇煥智舉辦「國際學者體檢濱南開發案公聽會」。
1998.03.17	蘇煥智舉辦「因應氣候變化綱要公約溫室氣體減量協議——永續能源與產業政策研討會」。
1998.04.02	行政院蕭萬長院長質疑濱南工業區開發計畫用水、用電問題。
1998.04.04 ～04.12	綠生活促進會、愛鄉文教基金會與山水客工作室於台北市誠品書店敦南店舉辦「LA飛，秋天再見——我愛黑面琵鷺生態攝影展」。
1998.04.07	環保署召開「濱南工業區開發計畫第二階段環境影響評估專案小組第一次初審會議」，審查「區位替代方案」與「工業專用港」。
1998.04.24	環保署召開「濱南工業區開發計畫第二階段環境影響評估專案小組第二次初審會議」，審查「海岸沖刷」與「潟湖」。
1998.05.16	台灣環保聯盟舉辦「民間能源會議——因應溫室效應的民間觀點」。
1998.05.26 ～05.27	行政院召開「全國能源會議」。
1998.06.02	環保署召開「濱南工業區開發計畫第二階段環境影響評估專案小

	組第二次初審會議（加開），審查「海岸沖刷」與「潟湖」。
1998.06.06 ～06.07	愛鄉文教基金會舉辦「失落的海岸線——尋訪台灣島最西端——尖仔尾」活動，以響應國際海洋年，並呼籲共同搶救消失的沙洲。
1998.06.08	立法院永續發展促進會趙永清、柯建銘、蘇煥智、王拓、朱惠良、蕭裕珍、中山大學教授邱文彥、陳鎮東、台灣大學教授高成炎、施學銘、謝志誠等共同拜會蕭萬長院長，建請行政院重視台灣海岸問題。
1998.06.13	台灣環保聯盟、台灣教授協會、生態保育聯盟、綠黨與主婦聯盟召開記者會，公佈1996～1998年水利單位在不同會議中所提出來的濱南工業區開發計畫供水方案，凸顯水利單位前後說法不一，供水計畫是「白賊書」。
1998.06.15	環保署召開「濱南工業區開發計畫第二階段環境影響評估專案小組第三次初審會議」，審查「用水及排水」與「對科學園區之影響」。
1998.06.25	環保署召開「濱南工業區開發計畫第二階段環境影響評估專案小組第四次初審會議」，審查「黑面琵鷺及自然保育」及「漁業及其他」。
1998.07.09	環保署召開「濱南工業區開發計畫第二階段環境影響評估專案小組第二次初審會議（加開）」，審查「海岸沖刷」與「潟湖」。
1998.07.17	環保署召開「濱南工業區開發計畫第二階段環境影響評估專案小組第五次初審會議」，審查「二氧化碳排放及公害防治」與「酸雨」。
1999.01.29	環保署召開「濱南工業區開發計畫第二階段環境影響評估專案小組第三次初審會議（加開）」，審查「用水計畫」。
1999.01.29	環保署召開「濱南工業區開發計畫第二階段環境影響評估專案小組第六次初審會議」，審查「漁業及其他」。
1999.02.08	環保署召開「濱南工業區開發計畫第二階段環境影響評估專案小組第七次初審會議」，審查「對南科之影響與排水」。
1999.05.15	環保署召開「濱南工業區開發計畫第二階段環境影響評估專案小組第八次初審會議」，審查「漁業及其他」。
1999.07.23	環保署召開「濱南工業區開發計畫第二階段環境影響評估專案小組第九次初審會議（綜合討論，不對外公開）」。
1999.08.12	環保署召開「濱南工業區開發計畫第二階段環境影響評估專案小

	組第十次初審會議（綜合討論，不對外公開）」。
1999.08.26	環保署召開「濱南工業區開發計畫第二階段環境影響評估專案小組第十一次初審會議（綜合討論，不對外公開）」。
1999.10.13	環保署召開「濱南工業區開發計畫第二階段環境影響評估專案小組第十二次初審會議（綜合討論，不對外公開）」。
1999.11.22	環保署召開「濱南工業區開發計畫第二階段環境影響評估專案小組第十三次初審會議（綜合討論，不對外公開）」。
1999.12.15	環保署召開「濱南工業區開發計畫第二階段環境影響評估專案小組第十四次初審會議（綜合討論，不對外公開）」。
1999.12.17	環保署召開「環保署環境影響評估委員會第六十六次會議」，決議有條件通過濱南案環境影響評估審查。
2000.01.07	環保署檢送濱南工業區開發計畫環境影響評估報告書（初稿）審查結論給開發單位。
2000.04.05	開發單位依環境影響評估審查委員會第六十六次會議結論要求開發單位檢送補充資料。
2000.04.26	環保署召開「濱南工業區開發計畫環境影響評估報告書定稿確認審查會議」。
2000.05.20	林俊義先生就任環保署署長。
2000.07.04	環保署檢送《濱南工業區開發計畫環境影響評估審查委員會第六十六次會議八項應補充修正意見資料》及書面意見表給環評委員及專家學者，請環評委員及專家學者於七日內提供意見。
2000.08.07	環保署檢送《濱南工業區開發計畫環境影響評估審查委員會第六十六次會議八項應補充修正意見表》給開發單位。
2000.10.30	開發單位檢送《濱南工業區開發計畫環境影響評估審查委員會第六十六次會議八項應補充修正意見書面意見答覆說明》。
2000.11.29	環保署召開「濱南工業區開發計畫環境影響評估審查委員會第六十六次會議八項應補充修正意見審查會」。
2001.01.12	環保署召開「濱南工業區開發計畫環境影響評估審查委員會第六十六次會議八項應補充修正意見第二次審查會」。
2001.02.15	環保署辦理濱南工業區開發計畫基地現場勘查。
2001.03.07	郝龍斌先生就任環保署署長。

2001.03.08	開發單位檢送《濱南工業區開發計畫環境影響評估審查委員會第六十六次會議八項應補充修正意見補正資料》。
2001.05.14	環保署就《濱南工業區開發計畫環境影響評估審查委員會第六十六次會議八項應補充修正意見》確認案，函請開發單位補正資料。
2001.06.21	開發單位檢送《濱南工業區開發計畫環境影響評估審查委員會第六十六次會議八項應補充修正意見補正資料》。
2001.08.13	環保署函請開發單位就《濱南工業區開發計畫環境影響評估審查委員會第六十六次會議八項應補充修正意見》確認案補正資料。
2001.08.17	開發單位檢送《濱南工業區開發計畫環境影響評估審查委員會第六十六次會議八項應補充修正意見確認案答覆說明》。
2001.10.08	環保署請開發單位就《濱南工業區開發計畫環境影響評估審查委員會第六十六次會議八項應補充修正意見》確認案，答覆說明。
2001.10.15	開發單位檢送《濱南工業區開發計畫環境影響評估審查委員會第六十六次會議八項應補充修正意見確認案答覆說明》。
2001.11.05	環保署召開「濱南工業區開發計畫環境影響評估審查委員會第六十六次會議八項應補充修正意見確認會議」。
2001.12.01	蘇煥智當選台南縣縣長。
2001.12.12	環保署函請開發單位將審查結論、歷次審查會議（十四次專案小組初審會、三次專家學者初審會）補正事項、歷次確認事項（八項應補充修正意見）及有關濱南工業區開發計畫環境影響評估審查委員會第六十六次會議八項應補充修正意見確認案意見納入定稿，送環保署備查。
2002.01.16	蘇煥智以台南縣縣長身分函請環保署就本案是否有開發必要，再與經建會及經濟部協商審議，且建請在工業專用港環評未定案前，暫勿定稿核備。
2002.07.09	台南縣政府就濱南工業區的報編開發案，表明不支持的立場，並函請內政部撤回土地變更案。
2002.10.14	農委會公告「台南縣曾文溪口黑面琵鷺野生動物重要棲息環境」。
2002.11.01	台南縣政府公告曾文溪口北岸海埔地為黑面琵鷺保護區。
2003.08.15	開發單位繳交《濱南工業區開發計畫──石化綜合廠、精緻一貫

	作業鋼廠與工業專用港環境影響評估報告書（定稿本）》及審查費貳萬元。
2003.09.29	環保署函請開發單位補充、修正《濱南工業區開發計畫——石化綜合廠、精緻一貫作業鋼廠與工業專用港環境影響評估報告書（定稿本）》。
2003.10.20	張祖恩先生就任環保署署長。
2003.11.21	行政院公告核定「雲嘉南濱海國家風景區」的範圍。
2003.12.24	雲嘉南濱海國家風景區掛牌成立。
2003.12.29	開發單位檢送《濱南工業區開發計畫——石化綜合廠、精緻一貫作業鋼廠與工業專用港環境影響評估報告書(定稿本)認可案說明》。
2004.02.06	環保署函請開發單位補充、修正《濱南工業區開發計畫——石化綜合廠、精緻一貫作業鋼廠與工業專用港環境影響評估報告書（定稿本）》。
2004.02.19	開發單位檢送《濱南工業區開發計畫環境影響評估報告書（定稿本）認可案說明》。
2004.03.08	環保署函請開發單位補充、修正《濱南工業區開發計畫環境影響評估報告書（定稿本）》。
2004.03.16	開發單位檢送《濱南工業區開發計畫環境影響評估報告書（定稿本）認可案說明》。
2004.03.17	「南瀛濱海國家風景區推動委員會」揭牌。
2004.04.22	環保署函請開發單位補充、修正《濱南工業區開發計畫環境影響評估報告書（定稿本）》。
2004.07.02	開發單位檢送《濱南工業區開發計畫環境影響評估報告書（定稿本）認可案說明》。
2004.08.26	環保署函請開發單位補正《濱南工業區開發計畫環境影響評估報告書（定稿本）》。
2004.12.16	環保署認可《濱南工業區開發計畫環境影響評估報告書（定稿本）》。
2005.04.19	台南縣政府列舉京都議定書生效與雲嘉南國家風景區核定事實，函請環保署基於情勢變遷原則，依《行政程序法》第123條第4款暫緩定稿，重開環評。

2005.06.08	張國龍先生就任環保署署長。
2005.06.28	台南縣政府函請經濟部在核發濱南工業區開發計畫許可前,將行政院核定公告的雲嘉南國家風景區、農委會公告的台南縣曾文溪口黑面琵鷺野生動物重要棲息環境與京都議定書的生效等納入考量。
2005.07.01	台南縣政府因六一二水災的衝擊,函請環保署再審慎考量濱南工業區開發計畫對於七股及周邊地區排水的衝擊,勿遽然核定環評報告書。
2005.07.12	蘇煥智拜訪剛上任的張國龍署長,請環保署依《行政程序法》廢止濱南工業區開發計畫環評審查結論。
2005.07.22	環保署就濱南工業區開發計畫環境影響評估報告書審查結論公告事宜,函請經濟部、交通部、內政部與台南縣政府查照。
2005.11.28	「黑面琵鷺保育管理中心」揭牌。
2005.12.03	蘇煥智連任台南縣縣長。
2006.01.19	環保署公告《濱南工業區開發計畫環境影響評估報告書》審查結論及《環境影響評估報告書》摘要。
2006.02.09	蘇煥智拜訪環保署張國龍署長,建請環保署依法廢止《濱南工業區開發計畫環境影響評估報告書》審查結論及《環境影響評估報告書》摘要公告。
2006.02.17	台南縣七股海岸保護協會與台灣環境保護聯盟向環保署遞送訴願書,請求撤銷93年12月16日環署綜字第0930074745號函有關《濱南工業區開發計畫環境影響評估報告書》的同意認可,及95年1月19日環署綜字第0950006595號函有關《濱南工業區開發計畫環境影響評估報告書》審查結論及《環境影響評估報告書》摘要的公告,以維護公共福祉與安全、捍衛台灣永續發展。

參考資料

1. 盧嘉興。1957。台南縣志稿卷首疆域篇：附台南縣各時期輿圖陸張。
台灣臺南縣：台南縣文獻委員會。

2. 台南縣文獻委員會。1960。台南縣志稿首。台灣台南：台南縣政府。

3. 台南縣文獻委員會。1960。台南縣志稿卷一自然志（上）。
台灣台南：台南縣政府。

4. 台南縣文獻委員會。1960。台南縣志稿卷五一經濟志。台灣台南：台南縣政府。

5. 盧嘉興。1981。台南縣疆域篇。輿地纂要。pp.1-26。台灣台南：台南縣政府。

6. 盧嘉興。1981。曾文溪與國賽港。輿地纂要。pp.61-90。
台灣台南：台南縣政府。

7. 盧嘉興。1981。台南縣鹽場史略。輿地纂要。pp.197-208。
台灣台南：台南縣政府。

8. 劉克襄。1992。最後的黑面舞者。中華飛羽。5（5）：19-22。

9. 丁文輝、翁義聰。1992。稀有冬候鳥黑面琵鷺過冬保護區的設立。中華飛羽。
5（4）：26-29。

10. 陳成。1994。揭開燁氏集團的神秘面紗。國會雙週刊。第27期：66-67。

11. 戴西。1994。東帝士集團推動七輕建廠計畫。國會雙週刊。第28期：62-63。

12. 經濟部水資會。1995。台灣地區水資源綱領計畫。台灣台北：經濟部水資會。

13. 經濟部水資會。1995。台灣地區之水資源。台灣台北：經濟部水資會。

14. 經濟部水資會。1995。台灣地區民國八十二年各標的用水量統計報告。台灣台
北：經濟部水資會。

15. 經濟部水資會。1995。台灣地區工業用水量估計報告。
台灣台北：經濟部水資會。

16. 經濟部水資會。1995。台灣地區生活用水量估計報告。
台灣台北：經濟部水資會。

17. 經濟部水資會。1995。台灣地區各標的用水量估計報告。
台灣台北：經濟部水資會。

18. 經濟部水資會。1995。台灣地區農業用水量估計報告。
台灣台北：經濟部水資會。

19. 交通銀行。1995。籌建一貫作業鋼鐵廠投資計畫聯合貸款說明書。
台灣台北：交通銀行。

20. 陳成。1995。七輕計畫戰況膠著。國會雙週刊。第47期：41-43。

21. 賀嵩蕃、林宜瑾。1995。台南縣濱南工業區開發案瞭解報告。台灣台北：民主進
步黨社會運動部。

22. 行政院農業委員會。1995。農業政策白皮書。台灣台北：行政院農業委員會。

23. 行政院農業委員會。1995。灌溉節水技術手冊。台灣台北：行政院農業委員會。

24. 翁義聰、曾瀧水。1995。台南七股濕地國家公園綱要計畫。
    中華飛羽。8（5）：19-23。

25. 中華民國野鳥學會。1996。黑面琵鷺保育行動綱領。
    台灣台北：行政院農業委員會。

26. 台南縣政府。1996。台南縣綜合發展計畫。台灣台南：台南縣政府。

27. 聯鼎鋼鐵股份有限公司、燁隆企業股份有限公司、燁興企業股份有限公司、燁聯鋼鐵股份有限公司、聯鼎重工股份有限公司。1996。濱南工業區開發計畫——精緻一貫作業鋼廠與工業專用港環境影響說明書定稿本，台灣台北。

28. 大東亞石油化學股份有限公司。1996。濱南工業區開發計畫——石化綜合廠與工業專用港環境影響說明書定稿本。台灣台北。

29. 經濟部水資源局。1996。水資源政策白皮書。台灣台北：經濟部水資源局。

30. 台灣區鋼鐵工業同業公會。1996。台灣地區鋼品需求預測（1996年至2001年）。
    台灣台北：台灣區鋼鐵工業同業公會。

31. 中華民國野鳥學會。1996。黑面琵鷺保育行動綱領。
    台灣台北：行政院農業委員會。

32. 行政院農業委員會。1996。農業用水移用及釋出問題（初稿）。台灣台北：行政院農業委員會。

33. 康添財。1997。國、民兩黨合作為燁隆集團護航？——政治和金錢介入燁隆案內幕。商業週刊。第505期（1997.07.28～1997.08.03）：54-55。

34. 謝國煌。1997。濱南工業區對台南科學園區IC廠製程之影響分析與建議。台灣台北：立法院濱南工業區對台南科學園區影響之評估公聽會。

35. 蘇煥智、謝志誠。1997。黑面琵鷺的鄉愁。台灣台北：時報文教基金會。

36. 大東亞石油化學股份有限公司。1997。濱南工業區開發計畫——石化綜合廠環境影響評估報告書（初稿）。台灣台北。

37. 聯鼎鋼鐵股份有限公司、燁隆企業股份有限公司、燁興企業股份有限公司、燁聯鋼鐵股份有限公司、聯鼎重工股份有限公司。1997。濱南工業區開發計畫——精緻一貫作業鋼廠環境影響評估報告書（初稿）。台灣台北。

38. 大東亞石油化學股份有限公司。1997。台南縣濱南工業區開發計畫——石化綜合廠用水計畫說明書（修正本）。台灣台北。

39. 聯鼎鋼鐵股份有限公司、燁隆企業股份有限公司、燁興企業股份有限公司、燁聯鋼鐵股份有限公司、聯鼎重工股份有限公司。1997。台南縣濱南工業區開發計畫

──精緻一貫作業鋼廠用水計畫說明書（修正本）。台灣台北。

40. 劉良力。2001。七股黑面琵鷺保護區劃設原則。七股‧琵鷺‧鄉土情。台灣台南：台南縣黑面琵鷺保育學會。

41. 財團法人台灣大學建築與城鄉研究發展基金會。2001。台南縣七股鄉發展生態旅遊景觀改善規劃設計案。台灣台南：台南縣政府。

42. 台南縣政府。2002。南瀛內海藍色公路暨沿岸城鎮地貌改造計畫書。台灣台南：台南縣政府。

43. 中華民國景觀學會。2003。雲嘉南濱海觀光發展計畫。
台灣台北：交通部觀光局。

44. 中華民國景觀學會。2003。雲嘉南濱海地區整體觀光發展規劃。台灣台北：交通部觀光局。

45. 財團法人鹽光文教基金會。2004。台灣鹽業實錄。台灣台南：台鹽實業股份有限公司。

46. 森海國際工程顧問公司。2004。雲嘉南濱海國家風景區觀光發展整體規劃。台灣台南：雲嘉南濱海國家風景區管理處。

47. 財團法人台灣大學建築與城鄉研究發展基金會。2004。台南縣內海藍色公路規劃設計。台灣台南：台南縣政府。

48. 中華民國濕地保護聯盟。2004。台南縣黑面琵鷺生態園區經營及景觀改善規劃案。台灣台南：台南縣政府。

49. 太乙工程顧問公司。2004。七股、黑琵次系統公共服務設施暨環境景觀整治工程委託設計監造案報告書。台灣台南：雲嘉南濱海國家風景區管理處。

50. 財團法人成大研究發展基金會。2004。雲嘉南濱海國家風景區水域遊憩活動區域先期調查規劃期末報告。台灣台南：雲嘉南濱海國家風景區管理處。

51. 許家彰建築師事務所。2004。台南縣將軍鄉發展生態旅遊景觀改善規劃設計。台灣台南：台南縣政府。

52. 財團法人台灣大學建築與城鄉研究發展基金會。2004。台南縣北門鄉發展生態旅遊景觀改善規劃設計。台灣台南：台南縣政府。

53. 國立高雄大學。2004。台南縣北門鄉北門鹽場閒置空間再利用規劃設計。台灣台南：台南縣政府。

54. 長豐工程顧問公司。2004。南科康橋自然生態及景觀規劃與基本設計。台灣台南：台南縣政府。

55. 雲林科技大學。2005。北門鹽場舊建物群空間再利用先期規劃案報告書。台灣台南：雲嘉南濱海國家風景區管理處。

56. 大東亞石油化學股份有限公司、聯鼎鋼鐵股份有限公司。2005。濱南工業區開發

計畫環境影響評估報告書（定稿本）。台灣台北。

57. 陳俊安。2005。雲嘉南濱南國家風景區形成的空間歷程：以台南縣濱海地區為例。碩士論文。臺灣台北：國立台灣大學地理環境資源研究所。

58. 財團法人鹽光文教基金會。2005。台灣鹽業遺址史料回溯與潛力景點開發計畫。台灣台南：雲嘉南濱海國家風景區管理處。

59. 行政院環境保護署。1994～2006。濱南工業區開發計畫環境影響評估會議記錄。台灣台北：行政院環境保護署。

60. 台南縣政府。2002～2006。濱南工業區開發計畫相關公文。台灣台南：台南縣政府。

61. 經濟部能源委員會。台灣能源統計年報。台灣台北：經濟部能源委員會。

62. 經濟部能源局。台灣能源統計年報。台灣台北：經濟部能源局。

63. 經濟部。全國能源會議網頁http://www.moeaboe.gov.tw/hot/EnergyMeeting/origin.htm。台灣台北：經濟部。

64. 行政院環境保護署。行政院環境保護署網頁
http://www.epa.gov.tw/main/index.asp。台灣台北：行政院環境保護署。

65. 台灣綜合研究院。氣候變化綱要公約資訊網
http://www.tri.org.tw/unfccc/index.htm。台灣台北：台灣綜合研究院。

66. 交通部觀光局。雲嘉南濱海國家風景區網頁http://www.swcoast-nsa.gov.tw/。台灣台南：交通部觀光局雲嘉南濱海國家風景區管理處。

67. 行政院永續發展委員會。行政院國家永續發展委員會全球資訊網
http://ivy2.epa.gov.tw/nsdn/。台灣台北：行政院永續發展委員會。

68. 行政院經濟建設委員會。國家發展重點計畫展專題網站
http://www.cepd.gov.tw/gofar2008/index.html。
台灣台北：行政院經濟建設委員會。

69. 台南縣政府。台南縣政府全球資訊網
http://www.tainan.gov.tw/cht/index/index.aspx。台灣台南：台南縣政府。

70. 南部科學工業園區管理局。南部科學工業園區南風再起
http://www.stsipa.gov.tw/web/。台灣台南：南部科學工業園區管理局。

71. 財團法人鹽光文教基金會。台灣鹽業博物館網頁
http://www.twsalt.org/index.htm。台灣台南：財團法人鹽光文教基金會。

72. 中國時報。中時新聞資料庫http://www.tol.com.tw/CT_NS/ctsearch.aspx。台灣台北：中國時報。

73. 聯合報。聯合知識庫http://udndata.com/。台灣台北：聯合報。

國家圖書館出版品預行編目資料

黑面琵鷺的鄉愁. 續篇，為永續臺灣打拼的故事／
謝志誠，蘇煥智．--初版．
　　--臺北市：時報文教基金會，民95
　　面；　公分．--（時報文教基金會叢書；42）
　　參考書目：面
　　ISBN 986-80727-7-8（平裝）

1.自然保育 2.環境保護

367　　　　　95008727v

時報文教基金會叢書　42

黑面琵鷺的鄉愁【續篇】—— 為永續台灣打拼的故事

編輯小組

發 行 人　　余範英

策　　劃　　呂理德

出 版 者　　時報文教基金會
　　　　　　台北市大理街132號
　　　　　　電話：（02）2306-5297

著　　者　　謝志誠・蘇煥智

主　　編　　孫梅君

美術編輯　　何月君

初版一刷　　九十五年六月

定　　價　　新台幣300元